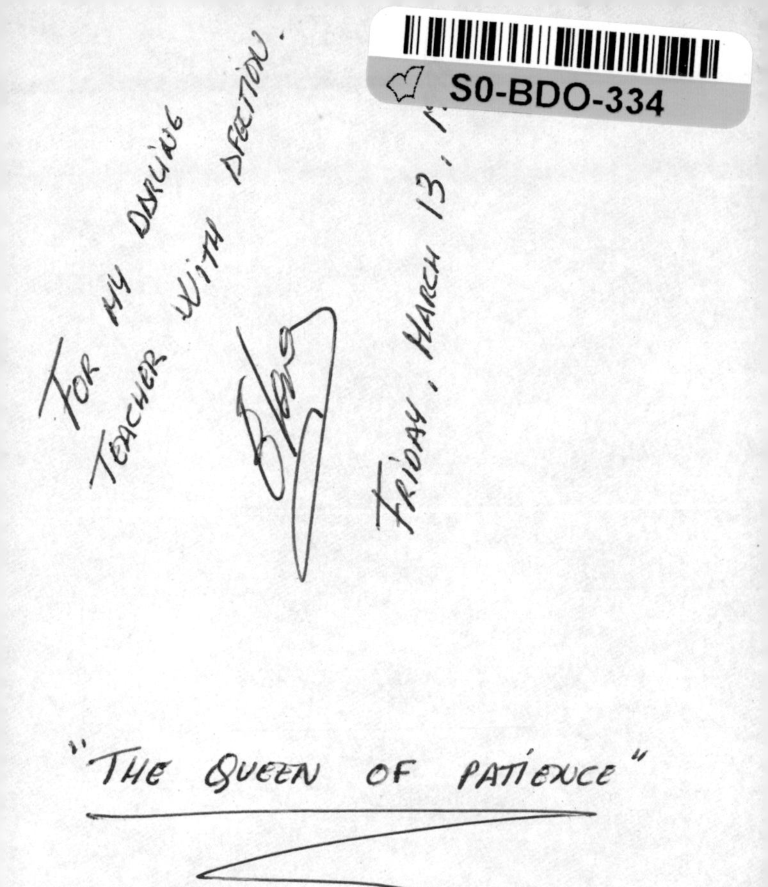
S0-BDO-334
FOR MY DARLING
TEACHER WITH AFFECTION.
FRIDAY, MARCH 13,
"THE QUEEN OF PATIENCE"

LAROUSSE

los verbos
españoles

LAROUSSE

los verbos
españoles

Esta obra ha sido concebida y realizada por el equipo editorial de Larousse Editorial.

Diseño
Diagrama 3, S.L.

Avda. Diagonal, 407 bis, 10ª - 08008 Barcelona
ISBN 84-8016-312-7
Depósito legal: B-36.638-97
Impresión: Hurope, S. L.
Encuadernación: Encuadernaciones Roma, S. L.
Printed in Spain - Impreso en España

ÍNDICE

PRESENTACIÓN

Este manual de conjugación va dirigido a los estudiantes de español y todos aquellos que utilizan la lengua escrita como herramienta de trabajo y desean mejorar el uso y la comprensión formales de los paradigmas de la conjugación verbal. Nuestro objetivo ha sido proporcionar al hablante y al estudiante de español un instrumento eficaz y de fácil manejo para el dominio de la conjugación. Esta finalidad práctica nos ha llevado a dividir la obra en dos partes: una colección de 99 modelos verbales, en primer lugar, y una lista ordenada alfabéticamente de 9 500 infinitivos, a continuación.

Todas las variaciones ortográficas, los cambios de acento, las modificaciones en la raíz verbal o en las desinencias están recogidas en los modelos de la primera parte, entre los que se incluyen los verbos regulares y los irregulares. Los verbos regulares, mucho más numerosos, se agrupan en tres modelos distintos conocidos con los nombres de 1ª, 2ª y 3ª conjugaciones, cuyos infinitivos acaban en **-ar**, **-er**, **-ir**, respectivamente y que corresponde a los modelos primero, segundo y tercero de nuestro manual. En cuanto a los verbos irregulares los hemos agrupado en dos grandes clases: verbos con anomalías ortográficas o prosódicas y verbos propiamente irregulares.

En los verbos con anomalías ortográficas o prosódicas —del modelo 4 al 23— se recogen cambios en la posición del acento y cambios de letras impuestos por la ortografía, que se refieren a sonidos con varias representaciones gráficas, como el caso del sonido *k* que se puede representar por *k*, *c* o *qu*. Los modelos 24 y 25 corresponden a los verbos defectivos, verbos cuya anomalía consiste en la supresión de algunas formas de flexión.

En los restantes modelos —del 26 al 99— están representados los paradigmas de los verbos propiamente irregulares. Dentro de estos hay algunos que siguen cierta sistematicidad en sus irregularidades y otros que presentan irregularidades asistemáticas o especiales. Los regulares sistemáticos pueden serlo por cambio, adición o supresión de sonidos —cuando escribimos, letras—; por ejemplo, el verbo **pedir**, que cambia la vocal **e** de la raíz en **i** en algunos tiempos del indicativo y del subjuntivo o el verbo **carecer**, que cambia la consonante final de la raíz **c** en **zc**. Los regulares asistemáticos incluyen los verbos con perfectos fuertes (indefinido, imperfecto de subjuntivo y futuro de subjuntivo) de verbos como **andar**, **querer** o **venir**; los verbos con participio irregular, como **freír**, **imprimir**, etc., y los verbos con varias raíces en su conjugación, como los verbos **ser** e **ir**. Es necesario tener en cuenta que la conjugación de algunos verbos presenta simultáneamente varios tipos de irregularidades.

La segunda parte de este manual se compone de una extensa lista de infinitivos. Cada uno de estos infinitivos tiene asociada una remisión numérica a los modelos de la primera parte, lo cual permite conocer la flexión completa de cualquier verbo contenido en esta lista. Por ejemplo, el verbo **animar**, cuya remisión **1** envía al modelo de este número, **cantar**, se conjuga aplicando las desinencias de este modelo a la raíz **anim-** y así obtenemos **anim-o, anim-as, anim-a**, etc. Aplicado adecuadamente, este sencillo mecanismo nos permitirá conjugar todos los verbos reseñados en esta segunda parte.

Para mayor brevedad y claridad en su presentación, hemos adoptado las siguientes convenciones: **a**) De cada paradigma, sólo se indican los tiempos simples, dejando a la competencia del consultante la formación de los tiempos compuestos a partir del verbo *haber* —modelo

97— y del participio del verbo que se quiere conjugar. *b*) Con el fin de saber si estamos ante una forma regular o irregular, todas las afectadas por cualquier tipo de irregularidad, prosódica, ortográfica, en la desinencia o en la raíz, se han señalado con letra cursiva. *c*) Cuando dos verbos homónimos siguen distintos modelos de conjugación hemos incluido una acotación entre corchetes acerca de su significado o de su procedencia con el fin de orientar correctamente la consulta: por ejemplo, el verbo **asolar** [de *a* + *sol*], que se conjuga según el modelo 1 y **asolar** [de *suelo*], que se conjuga según el modelo 36.

Esperamos que la obra que el lector tiene en sus manos cumpla con la finalidad práctica anunciada y sirva tanto a los estudiantes como al público general para poder expresarse con mayor propiedad.

CONJUGACIÓN PASIVA

INDICATIVO

PRESENTE		PRETÉRITO PERFECTO		
soy	amado	he	sido	amado
eres	amado	has	sido	amado
es	amado	ha	sido	amado
somos	amados	hemos	sido	amados
sois	amados	habéis	sido	amados
son	amados	han	sido	amados

IMPERFECTO		PRETÉRITO PLUSCUAMPERFECTO		
era	amado	había	sido	amado
eras	amado	habías	sido	amado
era	amado	había	sido	amado
éramos	amados	habíamos	sido	amados
erais	amados	habíais	sido	amados
eran	amados	habían	sido	amados

INDEFINIDO		PRETÉRITO ANTERIOR		
fui	amado	hube	sido	amado
fuiste	amado	hubiste	sido	amado
fue	amado	hubo	sido	amado
fuimos	amados	hubimos	sido	amados
fuisteis	amados	hubisteis	sido	amados
fueron	amados	hubieron	sido	amados

FUTURO		FUTURO PERFECTO		
seré	amado	habré	sido	amado
serás	amado	habrás	sido	amado
será	amado	habrá	sido	amado
seremos	amados	habremos	sido	amados
seréis	amados	habréis	sido	amados
serán	amados	habrán	sido	amados

CONDICIONAL		CONDICIONAL PERFECTO		
sería	amado	habría	sido	amado
serías	amado	habrías	sido	amado
sería	amado	habría	sido	amado
seríamos	amados	habríamos	sido	amados
seríais	amados	habríais	sido	amados
serían	amados	habrían	sido	amados

CONJUGACIÓN PASIVA

SUBJUNTIVO

PRESENTE		PRETÉRITO PERFECTO		
sea	amado	haya	sido	amado
seas	amado	hayas	sido	amado
sea	amado	haya	sido	amado
seamos	amados	hayamos	sido	amados
seáis	amados	hayáis	sido	amados
sean	amados	hayan	sido	amados

IMPERFECTO		PRETÉRITO PLUSCUAMPERFECTO		
fuera *o* fuese	amado	hubiera *o* hubiese	sido	amado
fueras *o* fueses	amado	hubieras *o* hubieses	sido	amado
fuera *o* fuese	amado	hubiera *o* hubiese	sido	amado
fuéramos *o* fuésemos	amados	hubiéramos *o* hubiésemos	sido	amados
fuerais *o* fueseis	amados	hubierais *o* hubieseis	sido	amados
fueran *o* fuesen	amados	hubieran *o* hubiesen	sido	amados

FUTURO		FUTURO PERFECTO		
fuere	amado	hubiere	sido	amado
fueres	amado	hubieres	sido	amado
fuere	amado	hubiere	sido	amado
fuéremos	amados	hubiéremos	sido	amados
fuereis	amados	hubiereis	sido	amados
fueren	amados	hubieren	sido	amados

IMPERATIVO

sé	tú	amado
sea	él	amado
seamos	nosotros	amados
sed	vosotros	amados
sean	ellos	amados

FORMAS NO PERSONALES

INFINITIVO	ser	amado	**INFINITIVO COMPUESTO**	haber	sido	amado
GERUNDIO	siendo	amado	**GERUNDIO COMPUESTO**	habiendo	sido	amado
PARTICIPIO	sido	amado				

CONJUGACIÓN PRONOMINAL

INDICATIVO

PRESENTE		PRETÉRITO PERFECTO		
me	lavo	me	he	lavado
te	lavas	te	has	lavado
se	lava	se	ha	lavado
nos	lavamos	nos	hemos	lavado
os	laváis	os	habéis	lavado
se	lavan	se	han	lavado

IMPERFECTO		PRETÉRITO PLUSCUAMPERFECTO		
me	lavaba	me	había	lavado
te	lavabas	te	habías	lavado
se	lavaba	se	había	lavado
nos	lavábamos	nos	habíamos	lavado
os	lavabais	os	habíais	lavado
se	lavaban	se	habían	lavado

INDEFINIDO		PRETÉRITO ANTERIOR		
me	lavé	me	hube	lavado
te	lavaste	te	hubiste	lavado
se	lavó	se	hubo	lavado
nos	lavamos	nos	hubimos	lavado
os	lavasteis	os	hubisteis	lavado
se	lavaron	se	hubieron	lavado

FUTURO		FUTURO PERFECTO		
me	lavaré	me	habré	lavado
te	lavarás	te	habrás	lavado
se	lavará	se	habrá	lavado
nos	lavaremos	nos	habremos	lavado
os	lavaréis	os	habréis	lavado
se	lavarán	se	habrán	lavado

CONDICIONAL		CONDICIONAL PERFECTO		
me	lavaría	me	habría	lavado
te	lavarías	te	habrías	lavado
se	lavaría	se	habría	lavado
nos	lavaríamos	nos	habríamos	lavado
os	lavaríais	os	habríais	lavado
se	lavarían	se	habrían	lavado

SUBJUNTIVO

PRESENTE		PRETÉRITO PERFECTO		
me	lave	me	haya	lavado
te	laves	te	hayas	lavado
se	lave	se	haya	lavado
nos	lavemos	nos	hayamos	lavado
os	lavéis	os	hayáis	lavado
se	laven	se	hayan	lavado

IMPERFECTO		PRETÉRITO PLUSCUAMPERFECTO		
me	lavara *o* lavase	me	hubiera *o* hubiese	lavado
te	lavaras *o* lavases	te	hubieras *o* hubieses	lavado
se	lavara *o* lavase	se	hubiera *o* hubiese	lavado
nos	laváramos *o* lavásemos	nos	hubiéramos *o* hubiésemos	lavado
os	lavarais *o* lavaseis	os	hubierais *o* hubieseis	lavado
se	lavaran *o* lavasen	se	hubieran *o* hubiesen	lavado

FUTURO		PRETÉRITO ANTERIOR		
me	lavare	me	hubiere	lavado
te	lavares	te	hubieres	lavado
se	lavare	se	hubiere	lavado
nos	laváremos	nos	hubiéremos	lavado
os	lavareis	os	hubiereis	lavado
se	lavaren	se	hubieren	lavado

IMPERATIVO

lávate	tú
lávese	él
lavémonos	nosotros
lavaos	vosotros
lávense	ellos

FORMAS NO PERSONALES

INFINITIVO	lavarse	**INFINITIVO COMPUESTO**	haberse lavado
GERUNDIO	lavándose	**GERUNDIO COMPUESTO**	habiéndose lavado
PARTICIPIO	*(no existe)*		

1 CANTAR

INDICATIVO

PRESENTE
canto
cantas
canta
cantamos
cantáis
cantan

IMPERFECTO
cantaba
cantabas
cantaba
cantábamos
cantabais
cantaban

INDEFINIDO
canté
cantaste
cantó
cantamos
cantasteis
cantaron

FUTURO
cantaré
cantarás
cantará
cantaremos
cantaréis
cantarán

CONDICIONAL
cantaría
cantarías
cantaría
cantaríamos
cantaríais
cantarían

SUBJUNTIVO

PRESENTE
cante
cantes
cante
cantemos
cantéis
canten

IMPERFECTO
cantara *o* cantase
cantaras *o* cantases
cantara *o* cantase
cantáramos *o* cantásemos
cantarais *o* cantaseis
cantaran *o* cantasen

FUTURO
cantare
cantares
cantare
cantáremos
cantareis
cantaren

IMPERATIVO

canta
cante
cantemos
cantad
canten

FORMAS NO PERSONALES

INFINITIVO cantar
GERUNDIO cantando
PARTICIPIO cantado

INDICATIVO

PRESENTE
temo
temes
teme
tememos
teméis
temen

IMPERFECTO
temía
temías
temía
temíamos
temíais
temían

INDEFINIDO
temí
temiste
temió
temimos
temisteis
temieron

FUTURO
temeré
temerás
temerá
temeremos
temeréis
temerán

CONDICIONAL
temería
temerías
temería
temeríamos
temeríais
temerían

SUBJUNTIVO

PRESENTE
tema
temas
tema
temamos
temáis
teman

IMPERFECTO
temiera *o* temiese
temieras *o* temieses
temiera *o* temiese
temiéramos *o* temiésemos
temierais *o* temieseis
temieran *o* temiesen

FUTURO
temiere
temieres
temiere
temiéremos
temiereis
temieren

IMPERATIVO

teme
tema
temamos
temed
teman

FORMAS NO PERSONALES

INFINITIVO temer
GERUNDIO temiendo
PARTICIPIO temido

3 PARTIR

INDICATIVO

PRESENTE
parto
partes
parte
partimos
partís
parten

IMPERFECTO
partía
partías
partía
partíamos
partíais
partían

INDEFINIDO
partí
partiste
partió
partimos
partisteis
partieron

FUTURO
partiré
partirás
partirá
partiremos
partiréis
partirán

CONDICIONAL
partiría
partirías
partiría
partiríamos
partiríais
partirían

SUBJUNTIVO

PRESENTE
parta
partas
parta
partamos
partáis
partan

IMPERFECTO
partiera *o* partiese
partieras *o* partieses
partiera *o* partiese
partiéramos *o* partiésemos
partierais *o* partieseis
partieran *o* partiesen

FUTURO
partiere
partieres
partiere
partiéremos
partiereis
partieren

IMPERATIVO

parte
parta
partamos
partid
partan

FORMAS NO PERSONALES

INFINITIVO partir
GERUNDIO partiendo
PARTICIPIO partido

INDICATIVO

PRESENTE
saco
sacas
saca
sacamos
sacáis
sacan

IMPERFECTO
sacaba
sacabas
sacaba
sacábamos
sacabais
sacaban

INDEFINIDO
saqué
sacaste
sacó
sacamos
sacasteis
sacaron

FUTURO
sacaré
sacarás
sacará
sacaremos
sacaréis
sacarán

CONDICIONAL
sacaría
sacarías
sacaría
sacaríamos
sacaríais
sacarían

SUBJUNTIVO

PRESENTE
saque
saques
saque
saquemos
saquéis
saquen

IMPERFECTO
sacara *o* sacase
sacaras *o* sacases
sacara *o* sacase
sacáramos *o* sacásemos
sacarais *o* sacaseis
sacaran *o* sacasen

FUTURO
sacare
sacares
sacare
sacáremos
sacareis
sacaren

IMPERATIVO

saca
saque
saquemos
sacad
saquen

FORMAS NO PERSONALES

INFINITIVO sacar
GERUNDIO sacando
PARTICIPIO sacado

5 AHINCAR

INDICATIVO

PRESENTE
ahínco
ahíncas
ahínca
ahincamos
ahincáis
ahíncan

IMPERFECTO
ahincaba
ahincabas
ahincaba
ahincábamos
ahincabais
ahincaban

INDEFINIDO
ahinqué
ahincaste
ahincó
ahincamos
ahincasteis
ahincaron

FUTURO
ahincaré
ahincarás
ahincarà
ahincaremos
ahincaréis
ahincarán

CONDICIONAL
ahincaría
ahincarías
ahincaría
ahincaríamos
ahincaríais
ahincarían

SUBJUNTIVO

PRESENTE
ahínque
ahínques
ahínque
ahinquemos
ahinquéis
ahínquen

IMPERFECTO
ahincara *o* ahincase
ahincaras *o* ahincases
ahincara *o* ahincase
ahincáramos *o* ahincásemos
ahincarais *o* ahincaseis
ahincaran *o* ahincasen

FUTURO
ahincare
ahincares
ahincare
ahincáremos
ahincareis
ahincaren

IMPERATIVO

ahínca
ahínque
ahinquemos
ahincad
ahínquen

FORMAS NO PERSONALES

INFINITIVO ahincar
GERUNDIO ahincando
PARTICIPIO ahincado

DELINQUIR 6

INDICATIVO

PRESENTE
delinco
delinques
delinque
delinquimos
delinquís
delinquen

IMPERFECTO
delinquía
delinquías
delinquía
delinquíamos
delinquíais
delinquían

INDEFINIDO
delinquí
delinquiste
delinquió
delinquimos
delinquisteis
delinquieron

FUTURO
delinquiré
delinquirás
delinquirá
delinquiremos
delinquiréis
delinquirán

CONDICIONAL
delinquiría
delinquirías
delinquiría
delinquiríamos
delinquiríais
delinquirían

SUBJUNTIVO

PRESENTE
delinca
delincas
delinca
delincamos
delincáis
delincan

IMPERFECTO
delinquiera *o* delinquiese
delinquieras *o* delinquieses
delinquiera *o* delinquiese
delinquiéramos *o* delinquiésemos
delinquierais *o* delinquieseis
delinquieran *o* delinquiesen

FUTURO
delinquiere
delinquieres
delinquiere
delinquiéremos
delinquiereis
delinquieren

IMPERATIVO

delinque
delinca
delincamos
delinquid
delincan

FORMAS NO PERSONALES

INFINITIVO delinquir

GERUNDIO delinquiendo

PARTICIPIO delinquido

7 PAGAR

INDICATIVO

PRESENTE
pago
pagas
paga
pagamos
pagáis
pagan

IMPERFECTO
pagaba
pagabas
pagaba
pagábamos
pagabais
pagaban

INDEFINIDO
pagué
pagaste
pagó
pagamos
pagasteis
pagaron

FUTURO
pagaré
pagarás
pagará
pagaremos
pagaréis
pagarán

CONDICIONAL
pagaría
pagarías
pagaría
pagaríamos
pagaríais
pagarían

SUBJUNTIVO

PRESENTE
pague
pagues
pague
paguemos
paguéis
paguen

IMPERFECTO
pagara *o* pagase
pagaras *o* pagases
pagara *o* pagase
pagáramos *o* pagásemos
pagarais *o* pagaseis
pagaran *o* pagasen

FUTURO
pagare
pagares
pagare
pagáremos
pagareis
pagaren

IMPERATIVO

paga
pague
paguemos
pagad
paguen

FORMAS NO PERSONALES

INFINITIVO pagar
GERUNDIO pagando
PARTICIPIO pagado

CABRAHIGAR 8

INDICATIVO

PRESENTE
cabrahígo
cabrahígas
cabrahíga
cabrahigamos
cabrahigáis
cabrahígan

IMPERFECTO
cabrahigaba
cabrahigabas
cabrahigaba
cabrahigábamos
cabrahigabais
cabrahigaban

INDEFINIDO
cabrahigué
cabrahigaste
cabrahigó
cabrahigamos
cabrahigasteis
cabrahigaron

FUTURO
cabrahigaré
cabrahigarás
cabrahigará
cabrahigaremos
cabrahigaréis
cabrahigarán

CONDICIONAL
cabrahigaría
cabrahigarías
cabrahigaría
cabrahigaríamos
cabrahigaríais
cabrahigarían

SUBJUNTIVO

PRESENTE
cabrahígue
cabrahígues
cabrahígue
cabrahiguemos
cabrahiguéis
cabrahíguen

IMPERFECTO
cabrahigara *o* cabrahigase
cabrahigaras *o* cabrahigases
cabrahigara *o* cabrahigase
cabrahigáramos *o* cabrahigásemos
cabrahigarais *o* cabrahigaseis
cabrahigaran *o* cabrahigasen

FUTURO
cabrahigare
cabrahigares
cabrahigare
cabrahigáremos
cabrahigareis
cabrahigaren

IMPERATIVO

cabrahíga
cabrahígue
cabrahiguemos
cabrahigad
cabrahíguen

FORMAS NO PERSONALES

INFINITIVO	cabrahigar
GERUNDIO	cabrahigando
PARTICIPIO	cabrahigado

9 AVERIGUAR

INDICATIVO

PRESENTE
averiguo
averiguas
averigua
averiguamos
averiguáis
averiguan

IMPERFECTO
averiguaba
averiguabas
averiguaba
averiguábamos
averiguabais
averiguaban

INDEFINIDO
averigüé
averiguaste
averiguó
averiguamos
averiguasteis
averiguaron

FUTURO
averiguaré
averiguarás
averiguará
averiguaremos
averiguaréis
averiguarán

CONDICIONAL
averiguaría
averiguarías
averiguaría
averiguaríamos
averiguaríais
averiguarían

SUBJUNTIVO

PRESENTE
averigüe
averigües
averigüe
averigüemos
averigüéis
averigüen

IMPERFECTO
averiguara *o* averiguase
averiguaras *o* averiguases
averiguara *o* averiguase
averiguáramos *o* averiguásemos
averiguarais *o* averiguaseis
averiguaran *o* averiguasen

FUTURO
averiguare
averiguares
averiguare
averiguáremos
averiguareis
averiguaren

IMPERATIVO

averigua
averigüe
averigüemos
averiguad
averigüen

FORMAS NO PERSONALES

INFINITIVO averiguar
GERUNDIO averiguando
PARTICIPIO averiguado

DISTINGUIR 10

INDICATIVO

PRESENTE
distingo
distingues
distingue
distinguimos
distinguís
distinguen

IMPERFECTO
distinguía
distinguías
distinguía
distinguíamos
distinguíais
distinguían

INDEFINIDO
distinguí
distinguiste
distinguió
distinguimos
distinguisteis
distinguieron

FUTURO
distinguiré
distinguirás
distinguirá
distinguiremos
distinguiréis
distinguirán

CONDICIONAL
distinguiría
distinguirías
distinguiría
distinguiríamos
distinguiríais
distinguirían

SUBJUNTIVO

PRESENTE
distinga
distingas
distinga
distingamos
distingáis
distingan

IMPERFECTO
distinguiera *o* distinguiese
distinguieras *o* distinguieses
distinguiera *o* distinguiese
distinguiéramos *o* distinguiésemos
distinguierais *o* distinguieseis
distinguieran *o* distinguiesen

FUTURO
distinguiere
distinguieres
distinguiere
distinguiéremos
distinguiereis
distinguieren

IMPERATIVO

distingue
distinga
distingamos
distinguid
distingan

FORMAS NO PERSONALES

INFINITIVO distinguir
GERUNDIO distinguiendo
PARTICIPIO distinguido

11 CAZAR

INDICATIVO

PRESENTE
cazo
cazas
caza
cazamos
cazáis
cazan

IMPERFECTO
cazaba
cazabas
cazaba
cazábamos
cazabais
cazaban

INDEFINIDO
cacé
cazaste
cazó
cazamos
cazasteis
cazaron

FUTURO
cazaré
cazarás
cazará
cazaremos
cazaréis
cazarán

CONDICIONAL
cazaría
cazarías
cazaría
cazaríamos
cazaríais
cazarían

SUBJUNTIVO

PRESENTE
cace
caces
cace
cacemos
cacéis
cacen

IMPERFECTO
cazara *o* cazase
cazaras *o* cazases
cazara *o* cazase
cazáramos *o* cazásemos
cazarais *o* cazaseis
cazaran *o* cazasen

FUTURO
cazare
cazares
cazare
cazáremos
cazareis
cazaren

IMPERATIVO

caza
cace
cacemos
cazad
cacen

FORMAS NO PERSONALES

INFINITIVO cazar
GERUNDIO cazando
PARTICIPIO cazado

ENRAIZAR 12

INDICATIVO

PRESENTE
enraízo
enraízas
enraíza
enraizamos
enraizáis
enraízan

IMPERFECTO
enraizaba
enraizabas
enraizaba
enraizábamos
enraizabais
enraizaban

INDEFINIDO
enraicé
enraizaste
enraizó
enraizamos
enraizasteis
enraizaron

FUTURO
enraizaré
enraizarás
enraizará
enraizaremos
enraizaréis
enraizarán

CONDICIONAL
enraizaría
enraizarías
enraizaría
enraizaríamos
enraizaríais
enraizarían

SUBJUNTIVO

PRESENTE
enraíce
enraíces
enraíce
enraicemos
enraicéis
enraícen

IMPERFECTO
enraizara *o* enraizase
enraizaras *o* enraizases
enraizara *o* enraizase
enraizáramos *o* enraizásemos
enraizarais *o* enraizaseis
enraizaran *o* enraizasen

FUTURO
enraizare
enraizares
enraizare
enraizáremos
enraizareis
enraizaren

IMPERATIVO

enraíza
enraíce
enraicemos
enraizad
enraícen

FORMAS NO PERSONALES

INFINITIVO enraizar
GERUNDIO enraizando
PARTICIPIO enraizado

13 MECER

INDICATIVO

PRESENTE
mezo
meces
mece
mecemos
mecéis
mecen

IMPERFECTO
mecía
mecías
mecía
mecíamos
mecíais
mecían

INDEFINIDO
mecí
meciste
meció
mecimos
mecisteis
mecieron

FUTURO
meceré
mecerás
mecerá
meceremos
meceréis
mecerán

CONDICIONAL
mecería
mecerías
mecería
meceríamos
meceríais
mecerían

SUBJUNTIVO

PRESENTE
meza
mezas
meza
mezamos
mezáis
mezan

IMPERFECTO
meciera *o* meciese
mecieras *o* mecieses
meciera *o* meciese
meciéramos *o* meciésemos
mecierais *o* mecieseis
mecieran *o* meciesen

FUTURO
meciere
mecieres
meciere
meciéremos
meciereis
mecieren

IMPERATIVO

mece
meza
mezamos
meced
mezan

FORMAS NO PERSONALES

INFINITIVO mecer
GERUNDIO meciendo
PARTICIPIO mecido

ZURCIR 14

INDICATIVO

PRESENTE
zurzo
zurces
zurce
zurcimos
zurcís
zurcen

IMPERFECTO
zurcía
zurcías
zurcía
zurcíamos
zurcíais
zurcían

INDEFINIDO
zurcí
zurciste
zurció
zurcimos
zurcisteis
zurcieron

FUTURO
zurciré
zurcirás
zurcirá
zurciremos
zurciréis
zurcirán

CONDICIONAL
zurciría
zurcirías
zurciría
zurciríamos
zurciríais
zurcirían

SUBJUNTIVO

PRESENTE
zurza
zurzas
zurza
zurzamos
zurzáis
zurzan

IMPERFECTO
zurciera *o* zurciese
zurcieras *o* zurcieses
zurciera *o* zurciese
zurciéramos *o* zurciésemos
zurcierais *o* zurcieseis
zurcieran *o* zurciesen

FUTURO
zurciere
zurcieres
zurciere
zurciéremos
zurciereis
zurcieren

IMPERATIVO

zurce
zurza
zurzamos
zurcid
zurzan

FORMAS NO PERSONALES

INFINITIVO zurcir
GERUNDIO zurciendo
PARTICIPIO zurcido

15 PROTEGER

INDICATIVO

PRESENTE
protejo
proteges
protege
protegemos
protegéis
protegen

IMPERFECTO
protegía
protegías
protegía
protegíamos
protegíais
protegían

INDEFINIDO
protegí
protegiste
protegió
protegimos
protegisteis
protegieron

FUTURO
protegeré
protegerás
protegerá
protegeremos
protegeréis
protegerán

CONDICIONAL
protegería
protegerías
protegería
protegeríamos
protegeríais
protegerían

SUBJUNTIVO

PRESENTE
proteja
protejas
proteja
protejamos
protejáis
protejan

IMPERFECTO
protegiera *o* protegiese
protegieras *o* protegieses
protegiera *o* protegiese
protegiéramos *o* protegiésemos
protegierais *o* protegieseis
protegieran *o* protegiesen

FUTURO
protegiere
protegieres
protegiere
protegiéremos
protegiereis
protegieren

IMPERATIVO

protege
proteja
protejamos
proteged
protejan

FORMAS NO PERSONALES

INFINITIVO proteger
GERUNDIO protegiendo
PARTICIPIO protegido

DIRIGIR 16

INDICATIVO

PRESENTE
dirijo
diriges
dirige
dirigimos
dirigís
dirigen

IMPERFECTO
dirigía
dirigías
dirigía
dirigíamos
dirigíais
dirigían

INDEFINIDO
dirigí
dirigiste
dirigió
dirigimos
dirigisteis
dirigieron

FUTURO
dirigiré
dirigirás
dirigirá
dirigiremos
dirigiréis
dirigirán

CONDICIONAL
dirigiría
dirigirías
dirigiría
dirigiríamos
dirigiríais
dirigirían

SUBJUNTIVO

PRESENTE
dirija
dirijas
dirija
dirijamos
dirijáis
dirijan

IMPERFECTO
dirigiera *o* dirigiese
dirigieras *o* dirigieses
dirigiera *o* dirigiese
dirigiéramos *o* dirigiésemos
dirigierais *o* dirigieseis
dirigieran *o* dirigiesen

FUTURO
dirigiere
dirigieres
dirigiere
dirigiéremos
dirigiereis
dirigieren

IMPERATIVO

dirige
dirija
dirijamos
dirigid
dirijan

FORMAS NO PERSONALES

INFINITIVO dirigir

GERUNDIO dirigiendo

PARTICIPIO dirigido

17 LEER

INDICATIVO

PRESENTE
leo
lees
lee
leemos
leéis
leen

IMPERFECTO
leía
leías
leía
leíamos
leíais
leían

INDEFINIDO
leí
leíste
leyó
leímos
leísteis
leyeron

FUTURO
leeré
leerás
leerá
leeremos
leeréis
leerán

CONDICIONAL
leería
leerías
leería
leeríamos
leeríais
leerían

SUBJUNTIVO

PRESENTE
lea
leas
lea
leamos
leáis
lean

IMPERFECTO
leyera o *leyese*
leyeras o *leyeses*
leyera o *leyese*
leyéramos o *leyésemos*
leyerais o *leyeseis*
leyeran o *leyesen*

FUTURO
leyere
leyeres
leyere
leyéremos
leyereis
leyeren

IMPERATIVO

lee
lea
leamos
leed
lean

FORMAS NO PERSONALES

INFINITIVO leer
GERUNDIO *leyendo*
PARTICIPIO leído

GUIAR 18

INDICATIVO

PRESENTE
guío
guías
guía
guiamos
guiáis
guían

IMPERFECTO
guiaba
guiabas
guiaba
guiábamos
guiabais
guiaban

INDEFINIDO
guié
guiaste
guió
guiamos
guiasteis
guiaron

FUTURO
guiaré
guiarás
guiará
guiaremos
guiaréis
guiarán

CONDICIONAL
guiaría
guiarías
guiaría
guiaríamos
guiaríais
guiarían

SUBJUNTIVO

PRESENTE
guíe
guíes
guíe
guiemos
guiéis
guíen

IMPERFECTO
guiara *o* guiase
guiaras *o* guiases
guiara *o* guiase
guiáramos *o* guiásemos
guiarais *o* guiaseis
guiaran *o* guiasen

FUTURO
guiare
guiares
guiare
guiáremos
guiareis
guiaren

IMPERATIVO

guía
guíe
guiemos
guiad
guíen

FORMAS NO PERSONALES

INFINITIVO guiar

GERUNDIO guiando

PARTICIPIO guiado

19 ACTUAR

INDICATIVO

PRESENTE
actúo
actúas
actúa
actuamos
actuáis
actúan

IMPERFECTO
actuaba
actuabas
actuaba
actuábamos
actuabais
actuaban

INDEFINIDO
actué
actuaste
actuó
actuamos
actuasteis
actuaron

FUTURO
actuaré
actuarás
actuará
actuaremos
actuaréis
actuarán

CONDICIONAL
actuaría
actuarías
actuaría
actuaríamos
actuaríais
actuarían

SUBJUNTIVO

PRESENTE
actúe
actúes
actúe
actuemos
actuéis
actúen

IMPERFECTO
actuara *o* actuase
actuaras *o* actuases
actuara *o* actuase
actuáramos *o* actuásemos
actuarais *o* actuaseis
actuaran *o* actuasen

FUTURO
actuare
actuares
actuare
actuáremos
actuareis
actuaren

IMPERATIVO

actúa
actúe
actuemos
actuad
actúen

FORMAS NO PERSONALES

INFINITIVO actuar
GERUNDIO actuando
PARTICIPIO actuado

AISLAR 20

INDICATIVO

PRESENTE
aíslo
aíslas
aísla
aislamos
aisláis
aíslan

IMPERFECTO
aislaba
aislabas
aislaba
aislábamos
aislabais
aislaban

INDEFINIDO
aislé
aislaste
aisló
aislamos
aislasteis
aislaron

FUTURO
aislaré
aislarás
aislará
aislaremos
aislaréis
aislarán

CONDICIONAL
aislaría
aislarías
aislaría
aislaríamos
aislaríais
aislarían

SUBJUNTIVO

PRESENTE
aísle
aísles
aísle
aislemos
aisléis
aíslen

IMPERFECTO
aislara *o* aislase
aislaras *o* aislases
aislara *o* aislase
aisláramos *o* aislásemos
aislarais *o* aislaseis
aislaran *o* aislasen

FUTURO
aislare
aislares
aislare
aisláremos
aislareis
aislaren

IMPERATIVO

aísla
aísle
aislemos
aislad
aíslen

FORMAS NO PERSONALES

INFINITIVO aislar

GERUNDIO aislando

PARTICIPIO aislado

21 AUNAR

INDICATIVO

PRESENTE
aúno
aúnas
aúna
aunamos
aunáis
aúnan

IMPERFECTO
aunaba
aunabas
aunaba
aunábamos
aunabais
aunaban

INDEFINIDO
auné
aunaste
aunó
aunamos
aunasteis
aunaron

FUTURO
aunaré
aunarás
aunará
aunaremos
aunaréis
aunarán

CONDICIONAL
aunaría
aunarías
aunaría
aunaríamos
aunaríais
aunarían

SUBJUNTIVO

PRESENTE
aúne
aúnes
aúne
aunemos
aunéis
aúnen

IMPERFECTO
aunara *o* aunase
aunaras *o* aunases
aunara *o* aunase
aunáramos *o* aunásemos
aunarais *o* aunaseis
aunaran *o* aunasen

FUTURO
aunare
aunares
aunare
aunáremos
aunareis
aunaren

IMPERATIVO

aúna
aúne
aunemos
aunad
aúnen

FORMAS NO PERSONALES

INFINITIVO aunar
GERUNDIO aunando
PARTICIPIO aunado

PROHIBIR 22

INDICATIVO

PRESENTE
prohíbo
prohíbes
prohíbe
prohibimos
prohibís
prohíben

IMPERFECTO
prohibía
prohibías
prohibía
prohibíamos
prohibíais
prohibían

INDEFINIDO
prohibí
prohibiste
prohibió
prohibimos
prohibisteis
prohibieron

FUTURO
prohibiré
prohibirás
prohibirá
prohibiremos
prohibiréis
prohibirán

CONDICIONAL
prohibiría
prohibirías
prohibiría
prohibiríamos
prohibiríais
prohibirían

SUBJUNTIVO

PRESENTE
prohíba
prohíbas
prohíba
prohibamos
prohibáis
prohíban

IMPERFECTO
prohibiera *o* prohibiese
prohibieras *o* prohibieses
prohibiera *o* prohibiese
prohibiéramos *o* prohibiésemos
prohibierais *o* prohibieseis
prohibieran *o* prohibiesen

FUTURO
prohibiere
prohibieres
prohibiere
prohibiéremos
prohibiereis
prohibieren

IMPERATIVO

prohíbe
prohíba
prohibamos
prohibid
prohíban

FORMAS NO PERSONALES

INFINITIVO prohibir
GERUNDIO prohibiendo
PARTICIPIO prohibido

23 REUNIR

INDICATIVO

PRESENTE
reúno
reúnes
reúne
reunimos
reunís
reúnen

IMPERFECTO
reunía
reunías
reunía
reuníamos
reuníais
reunían

INDEFINIDO
reuní
reuniste
reunió
reunimos
reunisteis
reunieron

FUTURO
reuniré
reunirás
reunirá
reuniremos
reuniréis
reunirán

CONDICIONAL
reuniría
reunirías
reuniría
reuniríamos
reuniríais
reunirían

SUBJUNTIVO

PRESENTE
reúna
reúnas
reúna
reunamos
reunáis
reúnan

IMPERFECTO
reuniera *o* reuniese
reunieras *o* reunieses
reuniera *o* reuniese
reuniéramos *o* reuniésemos
reunierais *o* reunieseis
reunieran *o* reuniesen

FUTURO
reuniere
reunieres
reuniere
reuniéremos
reuniereis
reunieren

IMPERATIVO

reúne
reúna
reunamos
reunid
reúnan

FORMAS NO PERSONALES

INFINITIVO reunir
GERUNDIO reuniendo
PARTICIPIO reunido

INDICATIVO

PRESENTE
—
—
—
abolimos
abolís
—

IMPERFECTO
abolía
abolías
abolía
abolíamos
abolíais
abolían

INDEFINIDO
abolí
aboliste
abolió
abolimos
abolisteis
abolieron

FUTURO
aboliré
abolirás
abolirá
aboliremos
aboliréis
abolirán

CONDICIONAL
aboliría
abolirías
aboliría
aboliríamos
aboliríais
abolirían

SUBJUNTIVO

PRESENTE
—
—
—
—
—
—

IMPERFECTO
aboliera *o* aboliese
abolieras *o* abolieses
aboliera *o* aboliese
aboliéramos *o* aboliésemos
abolierais *o* abolieseis
abolieran *o* aboliesen

FUTURO
aboliere
abolieres
aboliere
aboliéremos
aboliereis
abolieren

IMPERATIVO

—
—
—
abolid
—

FORMAS NO PERSONALES

INFINITIVO abolir
GERUNDIO aboliendo
PARTICIPIO abolido

25 EMBAÍR

INDICATIVO

PRESENTE
—
—
—
embaímos
embaís
—

IMPERFECTO
embaía
embaías
embaía
embaíamos
embaíais
embaían

INDEFINIDO
embaí
embaíste
embayó
embaímos
embaísteis
embayeron

FUTURO
embairé
embairás
embairá
embairemos
embairéis
embairán

CONDICIONAL
embairía
embairías
embairía
embairíamos
embairíais
embairían

SUBJUNTIVO

PRESENTE
—
—
—
—
—
—

IMPERFECTO
embayera o *embayese*
embayeras o *embayeses*
embayera o *embayese*
embayéramos o *embayésemos*
embayerais o *embayeseis*
embayeran o *embayesen*

FUTURO
embayere
embayeres
embayere
embayéremos
embayereis
embayeren

IMPERATIVO

—
—
—
embaíd
—

FORMAS NO PERSONALES

INFINITIVO	embaír
GERUNDIO	*embayendo*
PARTICIPIO	embaído

INDICATIVO

PRESENTE
abro
abres
abre
abrimos
abrís
abren

IMPERFECTO
abría
abrías
abría
abríamos
abríais
abrían

INDEFINIDO
abrí
abriste
abrió
abrimos
abristeis
abrieron

FUTURO
abriré
abrirás
abrirá
abriremos
abriréis
abrirán

CONDICIONAL
abriría
abrirías
abriría
abriríamos
abriríais
abrirían

SUBJUNTIVO

PRESENTE
abra
abras
abra
abramos
abráis
abran

IMPERFECTO
abriera *o* abriese
abrieras *o* abrieses
abriera *o* abriese
abriéramos *o* abriésemos
abrierais *o* abrieseis
abrieran *o* abriesen

FUTURO
abriere
abrieres
abriere
abriéremos
abriereis
abrieren

IMPERATIVO

abre
abra
abramos
abrid
abran

FORMAS NO PERSONALES

INFINITIVO abrir
GERUNDIO abriendo
PARTICIPIO *abierto*

27 ROMPER

INDICATIVO

PRESENTE
rompo
rompes
rompe
rompemos
rompéis
rompen

IMPERFECTO
rompía
rompías
rompía
rompíamos
rompíais
rompían

INDEFINIDO
rompí
rompiste
rompió
rompimos
rompisteis
rompieron

FUTURO
romperé
romperás
romperá
romperemos
romperéis
romperán

CONDICIONAL
rompería
romperías
rompería
romperíamos
romperíais
romperían

SUBJUNTIVO

PRESENTE
rompa
rompas
rompa
rompamos
rompáis
rompan

IMPERFECTO
rompiera *o* rompiese
rompieras *o* rompieses
rompiera *o* rompiese
rompiéramos *o* rompiésemos
rompierais *o* rompieseis
rompieran *o* rompiesen

FUTURO
rompiere
rompieres
rompiere
rompiéremos
rompiereis
rompieren

IMPERATIVO

rompe
rompa
rompamos
romped
rompan

FORMAS NO PERSONALES

INFINITIVO romper
GERUNDIO rompiendo
PARTICIPIO *roto*

INDICATIVO

PRESENTE
escribo
escribes
escribe
escribimos
escribís
escriben

IMPERFECTO
escribía
escribías
escribía
escribíamos
escribíais
escribían

INDEFINIDO
escribí
escribiste
escribió
escribimos
escribisteis
escribieron

FUTURO
escribiré
escribirás
escribirá
escribiremos
escribiréis
escribirán

CONDICIONAL
escribiría
escribirías
escribiría
escribiríamos
escribiríais
escribirían

SUBJUNTIVO

PRESENTE
escriba
escribas
escriba
escribamos
escribáis
escriban

IMPERFECTO
escribiera *o* escribiese
escribieras *o* escribieses
escribiera *o* escribiese
escribiéramos *o* escribiésemos
escribierais *o* escribieseis
escribieran *o* escribiesen

FUTURO
escribiere
escribieres
escribiere
escribiéremos
escribiereis
escribieren

IMPERATIVO

escribe
escriba
escribamos
escribid
escriban

FORMAS NO PERSONALES

INFINITIVO escribir
GERUNDIO escribiendo
PARTICIPIO *escrito*

29 IMPRIMIR

INDICATIVO

PRESENTE
imprimo
imprimes
imprime
imprimimos
imprimís
imprimen

IMPERFECTO
imprimía
imprimías
imprimía
imprimíamos
imprimíais
imprimían

INDEFINIDO
imprimí
imprimiste
imprimió
imprimimos
imprimisteis
imprimieron

FUTURO
imprimiré
imprimirás
imprimirá
imprimiremos
imprimiréis
imprimirán

CONDICIONAL
imprimiría
imprimirías
imprimiría
imprimiríamos
imprimiríais
imprimirían

SUBJUNTIVO

PRESENTE
imprima
imprimas
imprima
imprimamos
imprimáis
impriman

IMPERFECTO
imprimiera *o* imprimiese
imprimieras *o* imprimieses
imprimiera *o* imprimiese
imprimiéramos *o* imprimiésemos
imprimierais *o* imprimieseis
imprimieran *o* imprimiesen

FUTURO
imprimiere
imprimieres
imprimiere
imprimiéremos
imprimiereis
imprimieren

IMPERATIVO

imprime
imprima
imprimamos
imprimid
impriman

FORMAS NO PERSONALES

INFINITIVO imprimir
GERUNDIO imprimiendo
PARTICIPIO *impreso o imprimido*

PROVEER 30

INDICATIVO

PRESENTE
proveo
provees
provee
proveemos
proveéis
proveen

IMPERFECTO
proveía
proveías
proveía
proveíamos
proveíais
proveían

INDEFINIDO
proveí
proveiste
proveyó
proveímos
proveísteis
proveyeron

FUTURO
proveeré
proveerás
proveerá
proveeremos
proveeréis
proveerán

CONDICIONAL
proveería
proveerías
proveería
proveeríamos
proveeríais
proveerían

SUBJUNTIVO

PRESENTE
provea
proveas
provea
proveamos
proveáis
provean

IMPERFECTO
proveyera o *proveyese*
proveyeras o *proveyeses*
proveyera o *proveyese*
proveyéramos o *proveyésemos*
proveyerais o *proveyeseis*
proveyeran o *proveyesen*

FUTURO
proveyere
proveyeres
proveyere
proveyéremos
proveyereis
proveyeren

IMPERATIVO

provee
provea
proveamos
proveed
provean

FORMAS NO PERSONALES

INFINITIVO proveer
GERUNDIO *proveyendo*
PARTICIPIO *provisto* o proveído

31 PODRIR o PUDRIR

INDICATIVO

PRESENTE
pudro
pudres
pudre
pudrimos
pudrís
pudren

IMPERFECTO
pudría
pudrías
pudría
pudríamos
pudríais
pudrían

INDEFINIDO
pudrí
pudriste
pudrió
pudrimos
pudristeis
pudrieron

FUTURO
pudriré
pudrirás
pudrirá
pudriremos
pudriréis
pudrirán

CONDICIONAL
pudriría
pudrirías
pudriría
pudriríamos
pudriríais
pudrirían

SUBJUNTIVO

PRESENTE
pudra
pudras
pudra
pudramos
pudráis
pudran

IMPERFECTO
pudriera *o* pudriese
pudrieras *o* pudrieses
pudriera *o* pudriese
pudriéramos *o* pudriésemos
pudrierais *o* pudrieseis
pudrieran *o* pudriesen

FUTURO
pudriere
pudrieres
pudriere
pudriéremos
pudriereis
pudrieren

IMPERATIVO

pudre
pudra
pudramos
pudrid
pudran

FORMAS NO PERSONALES

INFINITIVO	*podrir* o pudrir
GERUNDIO	pudriendo
PARTICIPIO	*podrido*

INDICATIVO

PRESENTE
pido
pides
pide
pedimos
pedís
piden

IMPERFECTO
pedía
pedías
pedía
pedíamos
pedíais
pedían

INDEFINIDO
pedí
pediste
pidió
pedimos
pedisteis
pidieron

FUTURO
pediré
pedirás
pedirá
pediremos
pediréis
pedirán

CONDICIONAL
pediría
pedirías
pediría
pediríamos
pediríais
pedirían

SUBJUNTIVO

PRESENTE
pida
pidas
pida
pidamos
pidáis
pidan

IMPERFECTO
pidiera o *pidiese*
pidieras o *pidieses*
pidiera o *pidiese*
pidiéramos o *pidiésemos*
pidierais o *pidieseis*
pidieran o *pidiesen*

FUTURO
pidiere
pidieres
pidiere
pidiéremos
pidiereis
pidieren

IMPERATIVO

pide
pida
pidamos
pedid
pidan

FORMAS NO PERSONALES

INFINITIVO pedir
GERUNDIO *pidiendo*
PARTICIPIO pedido

33 REGIR

INDICATIVO

PRESENTE
rijo
riges
rige
regimos
regís
rigen

IMPERFECTO
regía
regías
regía
regíamos
regíais
regían

INDEFINIDO
regí
registe
rigió
regimos
registeis
rigieron

FUTURO
regiré
regirás
regirá
regiremos
regiréis
regirán

CONDICIONAL
regiría
regirías
regiría
regiríamos
regiríais
regirían

SUBJUNTIVO

PRESENTE
rija
rijas
rija
rijamos
rijáis
rijan

IMPERFECTO
rigiera o *rigiese*
rigieras o *rigieses*
rigiera o *rigiese*
rigiéramos o *rigiésemos*
rigierais o *rigieseis*
rigieran o *rigiesen*

FUTURO
rigiere
rigieres
rigiere
rigiéremos
rigiereis
rigieren

IMPERATIVO

rige
rija
rijamos
regid
rijan

FORMAS NO PERSONALES

INFINITIVO regir
GERUNDIO *rigiendo*
PARTICIPIO regido

SEGUIR 34

INDICATIVO

PRESENTE
sigo
sigues
sigue
seguimos
seguís
siguen

IMPERFECTO
seguía
seguías
seguía
seguíamos
seguíais
seguían

INDEFINIDO
seguí
seguiste
siguió
seguimos
seguisteis
siguieron

FUTURO
seguiré
seguirás
seguirá
seguiremos
seguiréis
seguirán

CONDICIONAL
seguiría
seguirías
seguiría
seguiríamos
seguiríais
seguirían

SUBJUNTIVO

PRESENTE
siga
sigas
siga
sigamos
sigáis
sigan

IMPERFECTO
siguiera o *siguiese*
siguieras o *siguieses*
siguiera o *siguiese*
siguiéramos o *siguiésemos*
siguierais o *siguieseis*
siguieran o *siguiesen*

FUTURO
siguiere
siguieres
siguiere
siguiéremos
siguiereis
siguieren

IMPERATIVO

sigue
siga
sigamos
seguid
sigan

FORMAS NO PERSONALES

INFINITIVO seguir
GERUNDIO *siguiendo*
PARTICIPIO seguido

35 CEÑIR

INDICATIVO

PRESENTE
ciño
ciñes
ciñe
ceñimos
ceñís
ciñen

IMPERFECTO
ceñía
ceñías
ceñía
ceñíamos
ceñíais
ceñían

INDEFINIDO
ceñí
ceñiste
ciñó
ceñimos
ceñisteis
ciñeron

FUTURO
ceñiré
ceñirás
ceñirá
ceñiremos
ceñiréis
ceñirán

CONDICIONAL
ceñiría
ceñirías
ceñiría
ceñiríamos
ceñiríais
ceñirían

SUBJUNTIVO

PRESENTE
ciña
ciñas
ciña
ciñamos
ciñáis
ciñan

IMPERFECTO
ciñera o ciñese
ciñeras o ciñeses
ciñera o ciñese
ciñéramos o ciñésemos
ciñerais o ciñeseis
ciñeran o ciñesen

FUTURO
ciñere
ciñeres
ciñere
ciñéremos
ciñereis
ciñeren

IMPERATIVO

ciñe
ciña
ciñamos
ceñid
ciñan

FORMAS NO PERSONALES

INFINITIVO ceñir
GERUNDIO *ciñiendo*
PARTICIPIO ceñido

INDICATIVO

PRESENTE
cuento
cuentas
cuenta
contamos
contáis
cuentan

IMPERFECTO
contaba
contabas
contaba
contábamos
contabais
contaban

INDEFINIDO
conté
contaste
contó
contamos
contasteis
contaron

FUTURO
contaré
contarás
contará
contaremos
contaréis
contarán

CONDICIONAL
contaría
contarías
contaría
contaríamos
contaríais
contarían

SUBJUNTIVO

PRESENTE
cuente
cuentes
cuente
contemos
contéis
cuenten

IMPERFECTO
contara *o* contase
contaras *o* contases
contara *o* contase
contáramos *o* contásemos
contarais *o* contaseis
contaran *o* contasen

FUTURO
contare
contares
contare
contáremos
contareis
contaren

IMPERATIVO

cuenta
cuente
contemos
contad
cuenten

FORMAS NO PERSONALES

INFINITIVO contar
GERUNDIO contando
PARTICIPIO contado

37 DESOSAR

INDICATIVO

PRESENTE
deshueso
deshuesas
deshuesa
desosamos
desosáis
deshuesan

IMPERFECTO
desosaba
desosabas
desosaba
desosábamos
desosabais
desosaban

INDEFINIDO
desosé
desosaste
desosó
desosamos
desosasteis
desosaron

FUTURO
desosaré
desosarás
desosará
desosaremos
desosaréis
desosarán

CONDICIONAL
desosaría
desosarías
desosaría
desosaríamos
desosaríais
desosarían

SUBJUNTIVO

PRESENTE
deshuese
deshueses
deshuese
desosemos
desoséis
deshuesen

IMPERFECTO
desosara *o* desosase
desosaras *o* desosases
desosara *o* desosase
desosáramos *o* desosásemos
desosarais *o* desosaseis
desosaran *o* desosasen

FUTURO
desosare
desosares
desosare
desosáremos
desosareis
desosaren

IMPERATIVO

deshuesa
deshuese
desosemos
desosad
deshuesen

FORMAS NO PERSONALES

INFINITIVO desosar
GERUNDIO desosando
PARTICIPIO desosado

AGORAR 38

INDICATIVO

PRESENTE
agüero
agüeras
agüera
agoramos
agoráis
agüeran

IMPERFECTO
agoraba
agorabas
agoraba
agorábamos
agorabais
agoraban

INDEFINIDO
agoré
agoraste
agoró
agoramos
agorasteis
agoraron

FUTURO
agoraré
agorarás
agorará
agoraremos
agoraréis
agorarán

CONDICIONAL
agoraría
agorarías
agoraría
agoraríamos
agoraríais
agorarían

SUBJUNTIVO

PRESENTE
agüere
agüeres
agüere
agoremos
agoréis
agüeren

IMPERFECTO
agorara *o* agorase
agoraras *o* agorases
agorara *o* agorase
agoráramos *o* agorásemos
agorarais *o* agoraseis
agoraran *o* agorasen

FUTURO
agorare
agorares
agorare
agoráremos
agorareis
agoraren

IMPERATIVO

agüera
agüere
agoremos
agorad
agüeren

FORMAS NO PERSONALES

INFINITIVO agorar
GERUNDIO agorando
PARTICIPIO agorado

39 AVERGONZAR

INDICATIVO

PRESENTE
avergüenzo
avergüenzas
avergüenza
avergonzamos
avergonzáis
avergüenzan

IMPERFECTO
avergonzaba
avergonzabas
avergonzaba
avergonzábamos
avergonzabais
avergonzaban

INDEFINIDO
avergoncé
avergonzaste
avergonzó
avergonzamos
avergonzasteis
avergonzaron

FUTURO
avergonzaré
avergonzarás
avergonzará
avergonzaremos
avergonzaréis
avergonzarán

CONDICIONAL
avergonzaría
avergonzarías
avergonzaría
avergonzaríamos
avergonzaríais
avergonzarían

SUBJUNTIVO

PRESENTE
avergüence
avergüences
avergüence
avergoncemos
avergoncéis
avergüencen

IMPERFECTO
avergonzara *o* avergonzase
avergonzaras *o* avergonzases
avergonzara *o* avergonzase
avergonzáramos *o* avergonzásemos
avergonzarais *o* avergonzaseis
avergonzaran *o* avergonzasen

FUTURO
avergonzare
avergonzares
avergonzáremos
avergonzareis
avergonzaren

IMPERATIVO

avergüenza
avergüence
avergoncemos
avergonzad
avergüencen

FORMAS NO PERSONALES

INFINITIVO avergonzar
GERUNDIO avergonzando
PARTICIPIO avergonzado

COLGAR 40

INDICATIVO

PRESENTE
cuelgo
cuelgas
cuelga
colgamos
colgáis
cuelgan

IMPERFECTO
colgaba
colgabas
colgaba
colgábamos
colgabais
colgaban

INDEFINIDO
colgué
colgaste
colgó
colgamos
colgasteis
colgaron

FUTURO
colgaré
colgarás
colgará
colgaremos
colgaréis
colgarán

CONDICIONAL
colgaría
colgarías
colgaría
colgaríamos
colgaríais
colgarían

SUBJUNTIVO

PRESENTE
cuelgue
cuelgues
cuelgue
colguemos
colguéis
cuelguen

IMPERFECTO
colgara *o* colgase
colgaras *o* colgases
colgara *o* colgase
colgáramos *o* colgásemos
colgarais *o* colgaseis
colgaran *o* colgasen

FUTURO
colgare
colgares
colgare
colgáremos
colgareis
colgaren

IMPERATIVO

cuelga
cuelgue
colguemos
colgad
cuelguen

FORMAS NO PERSONALES

INFINITIVO colgar
GERUNDIO colgando
PARTICIPIO colgado

41 FORZAR

INDICATIVO

PRESENTE
fuerzo
fuerzas
fuerza
forzamos
forzáis
fuerzan

IMPERFECTO
forzaba
forzabas
forzaba
forzábamos
forzabais
forzaban

INDEFINIDO
forcé
forzaste
forzó
forzamos
forzasteis
forzaron

FUTURO
forzaré
forzarás
forzará
forzaremos
forzaréis
forzarán

CONDICIONAL
forzaría
forzarías
forzaría
forzaríamos
forzaríais
forzarían

SUBJUNTIVO

PRESENTE
fuerce
fuerces
fuerce
forcemos
forcéis
fuercen

IMPERFECTO
forzara *o* forzase
forzaras *o* forzases
forzara *o* forzase
forzáramos *o* forzásemos
forzarais *o* forzaseis
forzaran *o* forzasen

FUTURO
forzare
forzares
forzare
forzáremos
forzareis
forzaren

IMPERATIVO

fuerza
fuerce
forcemos
forzad
fuercen

FORMAS NO PERSONALES

INFINITIVO forzar
GERUNDIO forzando
PARTICIPIO forzado

TROCAR 42

INDICATIVO

PRESENTE
trueco
truecas
trueca
trocamos
trocáis
truecan

IMPERFECTO
trocaba
trocabas
trocaba
trocábamos
trocabais
trocaban

INDEFINIDO
troqué
trocaste
trocó
trocamos
trocasteis
trocaron

FUTURO
trocaré
trocarás
trocará
trocaremos
trocaréis
trocarán

CONDICIONAL
trocaría
trocarías
trocaría
trocaríamos
trocaríais
trocarían

SUBJUNTIVO

PRESENTE
trueque
trueques
trueque
troquemos
troquéis
truequen

IMPERFECTO
trocara *o* trocase
trocaras *o* trocases
trocara *o* trocase
trocáramos *o* trocásemos
trocarais *o* trocaseis
trocaran *o* trocasen

FUTURO
trocare
trocares
trocare
trocáremos
trocareis
trocaren

IMPERATIVO

trueca
trueque
troquemos
trocad
truequen

FORMAS NO PERSONALES

INFINITIVO trocar
GERUNDIO trocando
PARTICIPIO trocado

43 MOVER

INDICATIVO

PRESENTE
muevo
mueves
mueve
movemos
movéis
mueven

IMPERFECTO
movía
movías
movía
movíamos
movíais
movían

INDEFINIDO
moví
moviste
movió
movimos
movisteis
movieron

FUTURO
moveré
moverás
moverá
moveremos
moveréis
moverán

CONDICIONAL
movería
moverías
movería
moveríamos
moveríais
moverían

SUBJUNTIVO

PRESENTE
mueva
muevas
mueva
movamos
mováis
muevan

IMPERFECTO
moviera *o* moviese
movieras *o* movieses
moviera *o* moviese
moviéramos *o* moviésemos
movierais *o* movieseis
movieran *o* moviesen

FUTURO
moviere
movieres
moviere
moviéremos
moviereis
movieren

IMPERATIVO

mueve
mueva
movamos
moved
muevan

FORMAS NO PERSONALES

INFINITIVO mover
GERUNDIO moviendo
PARTICIPIO movido

INDICATIVO

PRESENTE
huelo
hueles
huele
olemos
oléis
huelen

IMPERFECTO
olía
olías
olía
olíamos
olíais
olían

INDEFINIDO
olí
oliste
olió
olimos
olisteis
olieron

FUTURO
oleré
olerás
olerá
oleremos
oleréis
olerán

CONDICIONAL
olería
olerías
olería
oleríamos
oleríais
olerían

SUBJUNTIVO

PRESENTE
huela
huelas
huela
olamos
oláis
huelan

IMPERFECTO
oliera *o* oliese
olieras *o* olieses
oliera *o* oliese
oliéramos *o* oliésemos
olierais *o* olieseis
olieran *o* oliesen

FUTURO
oliere
olieres
oliere
oliéremos
oliereis
olieren

IMPERATIVO

huele
huela
olamos
oled
huelan

FORMAS NO PERSONALES

INFINITIVO oler

GERUNDIO oliendo

PARTICIPIO olido

45 TORCER

INDICATIVO

PRESENTE
tuerzo
tuerces
tuerce
torcemos
torcéis
tuercen

IMPERFECTO
torcía
torcías
torcía
torcíamos
torcíais
torcían

INDEFINIDO
torcí
torciste
torció
torcimos
torcisteis
torcieron

FUTURO
torceré
torcerás
torcerá
torceremos
torceréis
torcerán

CONDICIONAL
torcería
torcerías
torcería
torceríamos
torceríais
torcerían

SUBJUNTIVO

PRESENTE
tuerza
tuerzas
tuerza
torzamos
torzáis
tuerzan

IMPERFECTO
torciera *o* torciese
torcieras *o* torcieses
torciera *o* torciese
torciéramos *o* torciésemos
torcierais *o* torcieseis
torcieran *o* torciesen

FUTURO
torciere
torcieres
torciere
torciéremos
torciereis
torcieren

IMPERATIVO

tuerce
tuerza
torzamos
torced
tuerzan

FORMAS NO PERSONALES

INFINITIVO	torcer
GERUNDIO	torciendo
PARTICIPIO	torcido

VOLVER

46

INDICATIVO

PRESENTE
vuelvo
vuelves
vuelve
volvemos
volvéis
vuelven

IMPERFECTO
volvía
volvías
volvía
volvíamos
volvíais
volvían

INDEFINIDO
volví
volviste
volvió
volvimos
volvisteis
volvieron

FUTURO
volveré
volverás
volverá
volveremos
volveréis
volverán

CONDICIONAL
volvería
volverías
volvería
volveríamos
volveríais
volverían

SUBJUNTIVO

PRESENTE
vuelva
vuelvas
vuelva
volvamos
volváis
vuelvan

IMPERFECTO
volviera *o* volviese
volvieras *o* volvieses
volviera *o* volviese
volviéramos *o* volviésemos
volvierais *o* volvieseis
volvieran *o* volviesen

FUTURO
volviere
volvieres
volviere
volviéremos
volviereis
volvieren

IMPERATIVO

vuelve
vuelva
volvamos
volved
vuelvan

FORMAS NO PERSONALES

INFINITIVO volver

GERUNDIO volviendo

PARTICIPIO *vuelto*

47 DORMIR

INDICATIVO

PRESENTE
duermo
duermes
duerme
dormimos
dormís
duermen

IMPERFECTO
dormía
dormías
dormía
dormíamos
dormíais
dormían

INDEFINIDO
dormí
dormiste
durmió
dormimos
dormisteis
durmieron

FUTURO
dormiré
dormirás
dormirá
dormiremos
dormiréis
dormirán

CONDICIONAL
dormiría
dormirías
dormiría
dormiríamos
dormiríais
dormirían

SUBJUNTIVO

PRESENTE
duerma
duermas
duerma
durmamos
durmáis
duerman

IMPERFECTO
durmiera o *durmiese*
durmieras o *durmieses*
durmiera o *durmiese*
durmiéramos o *durmiésemos*
durmierais o *durmieseis*
durmieran o *durmiesen*

FUTURO
durmiere
durmieres
durmiere
durmiéremos
durmiereis
durmieren

IMPERATIVO

duerme
duerma
durmamos
dormid
duerman

FORMAS NO PERSONALES

INFINITIVO dormir
GERUNDIO *durmiendo*
PARTICIPIO dormido

MORIR 48

INDICATIVO

PRESENTE
muero
mueres
muere
morimos
morís
mueren

IMPERFECTO
moría
morías
moría
moríamos
moríais
morían

INDEFINIDO
morí
moriste
murió
morimos
moristeis
murieron

FUTURO
moriré
morirás
morirá
moriremos
moriréis
morirán

CONDICIONAL
moriría
morirías
moriría
moriríamos
moriríais
morirían

SUBJUNTIVO

PRESENTE
muera
mueras
muera
muramos
muráis
mueran

IMPERFECTO
muriera o *muriese*
murieras o *murieses*
muriera o *muriese*
muriéramos o *muriésemos*
murierais o *murieseis*
murieran o *muriesen*

FUTURO
muriere
murieres
muriere
muriéremos
muriereis
murieren

IMPERATIVO

muere
muera
muramos
morid
mueran

FORMAS NO PERSONALES

INFINITIVO morir
GERUNDIO *muriendo*
PARTICIPIO *muerto*

49 PENSAR

INDICATIVO

PRESENTE
pienso
piensas
piensa
pensamos
pensáis
piensan

IMPERFECTO
pensaba
pensabas
pensaba
pensábamos
pensabais
pensaban

INDEFINIDO
pensé
pensaste
pensó
pensamos
pensasteis
pensaron

FUTURO
pensaré
pensarás
pensará
pensaremos
pensaréis
pensarán

CONDICIONAL
pensaría
pensarías
pensaría
pensaríamos
pensaríais
pensarían

SUBJUNTIVO

PRESENTE
piense
pienses
piense
pensemos
penséis
piensen

IMPERFECTO
pensara *o* pensase
pensaras *o* pensases
pensara *o* pensase
pensáramos *o* pensásemos
pensarais *o* pensaseis
pensaran *o* pensasen

FUTURO
pensare
pensares
pensare
pensáremos
pensareis
pensaren

IMPERATIVO

piensa
piense
pensemos
pensad
piensen

FORMAS NO PERSONALES

INFINITIVO pensar
GERUNDIO pensando
PARTICIPIO pensado

INDICATIVO

PRESENTE
empiezo
empiezas
empieza
empezamos
empezáis
empiezan

IMPERFECTO
empezaba
empezabas
empezaba
empezábamos
empezabais
empezaban

INDEFINIDO
empecé
empezaste
empezó
empezamos
empezasteis
empezaron

FUTURO
empezaré
empezarás
empezará
empezaremos
empezaréis
empezarán

CONDICIONAL
empezaría
empezarías
empezaría
empezaríamos
empezaríais
empezarían

SUBJUNTIVO

PRESENTE
empiece
empieces
empiece
empecemos
empecéis
empiecen

IMPERFECTO
empezara *o* empezase
empezaras *o* empezases
empezara *o* empezase
empezáramos *o* empezásemos
empezarais *o* empezaseis
empezaran *o* empezasen

FUTURO
empezare
empezares
empezare
empezáremos
empezareis
empezaren

IMPERATIVO

empieza
empiece
empecemos
empezad
empiecen

FORMAS NO PERSONALES

INFINITIVO empezar
GERUNDIO empezando
PARTICIPIO empezado

51 REGAR

INDICATIVO

PRESENTE
riego
riegas
riega
regamos
regáis
riegan

IMPERFECTO
regaba
regabas
regaba
regábamos
regabais
regaban

INDEFINIDO
regué
regaste
regó
regamos
regasteis
regaron

FUTURO
regaré
regarás
regará
regaremos
regaréis
regarán

CONDICIONAL
regaría
regarías
regaría
regaríamos
regaríais
regarían

SUBJUNTIVO

PRESENTE
riegue
riegues
riegue
reguemos
reguéis
rieguen

IMPERFECTO
regara *o* regase
regaras *o* regases
regara *o* regase
regáramos *o* regásemos
regarais *o* regaseis
regaran *o* regasen

FUTURO
regare
regares
regare
regáremos
regareis
regaren

IMPERATIVO

riega
riegue
reguemos
regad
rieguen

FORMAS NO PERSONALES

INFINITIVO regar
GERUNDIO regando
PARTICIPIO regado

INDICATIVO

PRESENTE
yerro
yerras
yerra
erramos
erráis
yerran

IMPERFECTO
erraba
errabas
erraba
errábamos
errabais
erraban

INDEFINIDO
erré
erraste
erró
erramos
errasteis
erraron

FUTURO
erraré
errarás
errará
erraremos
erraréis
errarán

CONDICIONAL
erraría
errarías
erraría
erraríamos
erraríais
errarían

SUBJUNTIVO

PRESENTE
yerre
yerres
yerre
erremos
erréis
yerren

IMPERFECTO
errara *o* errase
erraras *o* errases
errara *o* errase
erráramos *o* errásemos
errarais *o* erraseis
erraran *o* errasen

FUTURO
errare
errares
errare
erráremos
errareis
erraren

IMPERATIVO

yerra
yerre
erremos
errad
yerren

FORMAS NO PERSONALES

INFINITIVO errar
GERUNDIO errando
PARTICIPIO errado

53 TENDER

INDICATIVO

PRESENTE
tiendo
tiendes
tiende
tendemos
tendéis
tienden

IMPERFECTO
tendía
tendías
tendía
tendíamos
tendíais
tendían

INDEFINIDO
tendí
tendiste
tendió
tendimos
tendisteis
tendieron

FUTURO
tenderé
tenderás
tenderá
tenderemos
tenderéis
tenderán

CONDICIONAL
tendería
tenderías
tendería
tenderíamos
tenderíais
tenderían

SUBJUNTIVO

PRESENTE
tienda
tiendas
tienda
tendamos
tendáis
tiendan

IMPERFECTO
tendiera *o* tendiese
tendieras *o* tendieses
tendiera *o* tendiese
tendiéramos *o* tendiésemos
tendierais *o* tendieseis
tendieran *o* tendiesen

FUTURO
tendiere
tendieres
tendiere
tendiéremos
tendiereis
tendieren

IMPERATIVO

tiende
tienda
tendamos
tended
tiendan

FORMAS NO PERSONALES

INFINITIVO tender
GERUNDIO tendiendo
PARTICIPIO tendido

ADQUIRIR 54

INDICATIVO

PRESENTE
adquiero
adquieres
adquiere
adquirimos
adquirís
adquieren

IMPERFECTO
adquiría
adquirías
adquiría
adquiríamos
adquiríais
adquirían

INDEFINIDO
adquirí
adquiriste
adquirió
adquirimos
adquiristeis
adquirieron

FUTURO
adquiriré
adquirirás
adquirirá
adquiriremos
adquiriréis
adquirirán

CONDICIONAL
adquiriría
adquirirías
adquiriría
adquiriríamos
adquiriríais
adquirirían

SUBJUNTIVO

PRESENTE
adquiera
adquieras
adquiera
adquiramos
adquiráis
adquieran

IMPERFECTO
adquiriera *o* adquiriese
adquirieras *o* adquirieses
adquiriera *o* adquiriese
adquiriéramos *o* adquiriésemos
adquirierais *o* adquirieseis
adquirieran *o* adquiriesen

FUTURO
adquiriere
adquirieres
adquiriere
adquiriéremos
adquiriereis
adquirieren

IMPERATIVO

adquiere
adquiera
adquiramos
adquirid
adquieran

FORMAS NO PERSONALES

INFINITIVO adquirir
GERUNDIO adquiriendo
PARTICIPIO adquirido

55 DISCERNIR

INDICATIVO

PRESENTE
discierno
disciernes
discierne
discernimos
discernís
disciernen

IMPERFECTO
discernía
discernías
discernía
discerníamos
discerníais
discernían

INDEFINIDO
discerní
discerniste
discernió
discernimos
discernisteis
discernieron

FUTURO
discerniré
discernirás
discernirá
discerniremos
discerniréis
discernirán

CONDICIONAL
discerniría
discernirías
discerniría
discerniríamos
discerniríais
discernirían

SUBJUNTIVO

PRESENTE
discierna
disciernas
discierna
discernamos
discernáis
disciernan

IMPERFECTO
discerniera *o* discerniese
discernieras *o* discernieses
discerniera *o* discerniese
discerniéramos *o* discerniésemos
discernierais *o* discernieseis
discernieran *o* discerniesen

FUTURO
discerniere
discernieres
discerniere
discerniéremos
discerniereis
discernieren

IMPERATIVO

discierne
discierna
discernamos
discernid
disciernan

FORMAS NO PERSONALES

INFINITIVO discernir
GERUNDIO discerniendo
PARTICIPIO discernido

SENTIR 56

INDICATIVO

PRESENTE
siento
sientes
siente
sentimos
sentís
sienten

IMPERFECTO
sentía
sentías
sentía
sentíamos
sentíais
sentían

INDEFINIDO
sentí
sentiste
sintió
sentimos
sentisteis
sintieron

FUTURO
sentiré
sentirás
sentirá
sentiremos
sentiréis
sentirán

CONDICIONAL
sentiría
sentirías
sentiría
sentiríamos
sentiríais
sentirían

SUBJUNTIVO

PRESENTE
sienta
sientas
sienta
sintamos
sintáis
sientan

IMPERFECTO
sintiera o *sintiese*
sintieras o *sintieses*
sintiera o *sintiese*
sintiéramos o *sintiésemos*
sintierais o *sintieseis*
sintieran o *sintiesen*

FUTURO
sintiere
sintieres
sintiere
sintiéremos
sintiereis
sintieren

IMPERATIVO

siente
sienta
sintamos
sentid
sientan

FORMAS NO PERSONALES

INFINITIVO sentir
GERUNDIO *sintiendo*
PARTICIPIO sentido

57 ERGUIR

INDICATIVO

PRESENTE
irgo o *yergo*
irgues o *yergues*
irgue o *yergue*
erguimos
erguís
irguen o *yerguen*

IMPERFECTO
erguía
erguías
erguía
erguíamos
erguíais
erguían

INDEFINIDO
erguí
erguiste
irguió
erguimos
erguisteis
irguieron

FUTURO
erguiré
erguirás
erguirá
erguiremos
erguiréis
erguirán

CONDICIONAL
erguiría
erguirías
erguiría
erguiríamos
erguiríais
erguirían

SUBJUNTIVO

PRESENTE
irga o *yerga*
irgas o *yergas*
irga o *yerga*
irgamos o *yergamos*
irgáis o *yergáis*
irgan o *yergan*

IMPERFECTO
irguiera o *irguiese*
irguieras o *irguieses*
irguiera o *irguiese*
irguiéramos o *irguiésemos*
irguierais o *irguieseis*
irguieran o *irguiesen*

FUTURO
irguiere
irguieres
irguiere
irguiéremos
irguiereis
irguieren

IMPERATIVO

irgue o *yergue*
irga o *yerga*
irgamos o *yergamos*
erguid
irgan o *yergan*

FORMAS NO PERSONALES

INFINITIVO erguir
GERUNDIO *irguiendo*
PARTICIPIO erguido

INDICATIVO

PRESENTE
juego
juegas
juega
jugamos
jugáis
juegan

IMPERFECTO
jugaba
jugabas
jugaba
jugábamos
jugabais
jugaban

INDEFINIDO
jugué
jugaste
jugó
jugamos
jugasteis
jugaron

FUTURO
jugaré
jugarás
jugará
jugaremos
jugaréis
jugarán

CONDICIONAL
jugaría
jugarías
jugaría
jugaríamos
jugaríais
jugarían

SUBJUNTIVO

PRESENTE
juegue
juegues
juegue
juguemos
juguéis
jueguen

IMPERFECTO
jugara *o* jugase
jugaras *o* jugases
jugara *o* jugase
jugáramos *o* jugásemos
jugarais *o* jugaseis
jugaran *o* jugasen

FUTURO
jugare
jugares
jugare
jugáremos
jugareis
jugaren

IMPERATIVO

juega
juegue
juguemos
jugad
jueguen

FORMAS NO PERSONALES

INFINITIVO jugar
GERUNDIO jugando
PARTICIPIO jugado

59 VER

INDICATIVO

PRESENTE
veo
ves
ve
vemos
veis
ven

IMPERFECTO
veía
veías
veía
veíamos
veíais
veían

INDEFINIDO
vi
viste
vio
vimos
visteis
vieron

FUTURO
veré
verás
verá
veremos
veréis
verán

CONDICIONAL
vería
verías
vería
veríamos
veríais
verían

SUBJUNTIVO

PRESENTE
vea
veas
vea
veamos
veáis
vean

IMPERFECTO
viera *o* viese
vieras *o* vieses
viera *o* viese
viéramos *o* viésemos
vierais *o* vieseis
vieran *o* viesen

FUTURO
viere
vieres
viere
viéremos
viereis
vieren

IMPERATIVO

ve
vea
veamos
ved
vean

FORMAS NO PERSONALES

INFINITIVO ver
GERUNDIO viendo
PARTICIPIO *visto*

PREVER 60

INDICATIVO

PRESENTE
preveo
prevés
prevé
prevemos
prevéis
prevén

IMPERFECTO
preveía
preveías
preveía
preveíamos
preveíais
preveían

INDEFINIDO
preví
previste
previó
previmos
previsteis
previeron

FUTURO
preveré
preverás
preverá
preveremos
preveréis
preverán

CONDICIONAL
prevería
preverías
prevería
preveríamos
preveríais
preverían

SUBJUNTIVO

PRESENTE
prevea
preveas
prevea
preveamos
preveáis
prevean

IMPERFECTO
previera *o* previese
previeras *o* previeses
previera *o* previese
previéramos *o* previésemos
previerais *o* previeseis
previeran *o* previesen

FUTURO
previere
previeres
previere
previéremos
previereis
previeren

IMPERATIVO

prevé
prevea
preveamos
preved
prevean

FORMAS NO PERSONALES

INFINITIVO prever
GERUNDIO previendo
PARTICIPIO *previsto*

61 CARECER

INDICATIVO

PRESENTE
carezco
careces
carece
carecemos
carecéis
carecen

IMPERFECTO
carecía
carecías
carecía
carecíamos
carecíais
carecían

INDEFINIDO
carecí
careciste
careció
carecimos
carecisteis
carecieron

FUTURO
careceré
carecerás
carecerá
careceremos
careceréis
carecerán

CONDICIONAL
carecería
carecerías
carecería
careceríamos
careceríais
carecerían

SUBJUNTIVO

PRESENTE
carezca
carezcas
carezca
carezcamos
carezcáis
carezcan

IMPERFECTO
careciera *o* careciese
carecieras *o* carecieses
careciera *o* careciese
careciéramos *o* careciésemos
carecierais *o* carecieseis
carecieran *o* careciesen

FUTURO
careciere
carecieres
careciere
careciéremos
careciereis
carecieren

IMPERATIVO

carece
carezca
carezcamos
careced
carezcan

FORMAS NO PERSONALES

INFINITIVO carecer

GERUNDIO careciendo

PARTICIPIO carecido

INDICATIVO

PRESENTE
luzco
luces
luce
lucimos
lucís
lucen

IMPERFECTO
lucía
lucías
lucía
lucíamos
lucíais
lucían

INDEFINIDO
lucí
luciste
lució
lucimos
lucisteis
lucieron

FUTURO
luciré
lucirás
lucirá
luciremos
luciréis
lucirán

CONDICIONAL
luciría
lucirías
luciría
luciríamos
luciríais
lucirían

SUBJUNTIVO

PRESENTE
luzca
luzcas
luzca
luzcamos
luzcáis
luzcan

IMPERFECTO
luciera *o* luciese
lucieras *o* lucieses
luciera *o* luciese
luciéramos *o* luciésemos
lucierais *o* lucieseis
lucieran *o* luciesen

FUTURO
luciere
lucieres
luciere
luciéremos
luciereis
lucieren

IMPERATIVO

luce
luzca
luzcamos
lucid
luzcan

FORMAS NO PERSONALES

INFINITIVO lucir
GERUNDIO luciendo
PARTICIPIO lucido

63 YACER

INDICATIVO

PRESENTE
yazco, yazgo o *yago*
yaces
yace
yacemos
yacéis
yacen

IMPERFECTO
yacía
yacías
yacía
yacíamos
yacíais
yacían

INDEFINIDO
yací
yaciste
yació
yacimos
yacisteis
yacieron

FUTURO
yaceré
yacerás
yacerá
yaceremos
yaceréis
yacerán

CONDICIONAL
yacería
yacerías
yacería
yaceríamos
yaceríais
yacerían

SUBJUNTIVO

PRESENTE
yazca, yazga o *yaga*
yazcas, yazgas o *yagas*
yazca, yazga o *yaga*
yazcamos, yazgamos o *yagamos*
yazcáis, yazgáis o *yagáis*
yazcan, yazgan o *yagan*

IMPERFECTO
yaciera *o* yaciese
yacieras *o* yacieses
yaciera *o* yaciese
yaciéramos *o* yaciésemos
yacierais *o* yacieseis
yacieran *o* yaciesen

FUTURO
yaciere
yacieres
yaciere
yaciéremos
yaciereis
yacieren

IMPERATIVO

yace o *yaz*
yazca, yazga o *yaga*
yazcamos, yazgamos o *yagamos*
yaced
yazcan, yazgan o *yagan*

FORMAS NO PERSONALES

INFINITIVO yacer
GERUNDIO yaciendo
PARTICIPIO yacido

INDICATIVO

PRESENTE
valgo
vales
vale
valemos
valéis
valen

IMPERFECTO
valía
valías
valía
valíamos
valíais
valían

INDEFINIDO
valí
valiste
valió
valimos
valisteis
valieron

FUTURO
valdré
valdrás
valdrá
valdremos
valdréis
valdrán

CONDICIONAL
valdría
valdrías
valdría
valdríamos
valdríais
valdrían

SUBJUNTIVO

PRESENTE
valga
valgas
valga
valgamos
valgáis
valgan

IMPERFECTO
valiera *o* valiese
valieras *o* valieses
valiera *o* valiese
valiéramos *o* valiésemos
valierais *o* valieseis
valieran *o* valiesen

FUTURO
valiere
valieres
valiere
valiéremos
valiereis
valieren

IMPERATIVO

vale
valga
valgamos
valed
valgan

FORMAS NO PERSONALES

INFINITIVO valer
GERUNDIO valiendo
PARTICIPIO valido

65 SALIR

INDICATIVO

PRESENTE
salgo
sales
sale
salimos
salís
salen

IMPERFECTO
salía
salías
salía
salíamos
salíais
salían

INDEFINIDO
salí
saliste
salió
salimos
salisteis
salieron

FUTURO
saldré
saldrás
saldrá
saldremos
saldréis
saldrán

CONDICIONAL
saldría
saldrías
saldría
saldríamos
saldríais
saldrían

SUBJUNTIVO

PRESENTE
salga
salgas
salga
salgamos
salgáis
salgan

IMPERFECTO
saliera *o* saliese
salieras *o* salieses
saliera *o* saliese
saliéramos *o* saliésemos
salierais *o* salieseis
salieran *o* saliesen

FUTURO
saliere
salieres
saliere
saliéremos
saliereis
salieren

IMPERATIVO

sal
salga
salgamos
salid
salgan

FORMAS NO PERSONALES

INFINITIVO salir

GERUNDIO saliendo

PARTICIPIO salido

PONER 66

INDICATIVO

PRESENTE
pongo
pones
pone
ponemos
ponéis
ponen

IMPERFECTO
ponía
ponías
ponía
poníamos
poníais
ponían

INDEFINIDO
puse
pusiste
puso
pusimos
pusisteis
pusieron

FUTURO
pondré
pondrás
pondrá
pondremos
pondréis
pondrán

CONDICIONAL
pondría
pondrías
pondría
pondríamos
pondríais
pondrían

SUBJUNTIVO

PRESENTE
ponga
pongas
ponga
pongamos
pongáis
pongan

IMPERFECTO
pusiera o *pusiese*
pusieras o *pusieses*
pusiera o *pusiese*
pusiéramos o *pusiésemos*
pusierais o *pusieseis*
pusieran o *pusiesen*

FUTURO
pusiere
pusieres
pusiere
pusiéremos
pusiereis
pusieren

IMPERATIVO

pon
ponga
pongamos
poned
pongan

FORMAS NO PERSONALES

INFINITIVO poner
GERUNDIO poniendo
PARTICIPIO *puesto*

67 ASIR

INDICATIVO

PRESENTE
asgo
ases
ase
asimos
asís
asen

IMPERFECTO
asía
asías
asía
asíamos
asíais
asían

INDEFINIDO
así
asiste
asió
asimos
asisteis
asieron

FUTURO
asiré
asiras
asirá
asiremos
asiréis
asirán

CONDICIONAL
asiría
asirías
asiría
asiríamos
asiríais
asirían

SUBJUNTIVO

PRESENTE
asga
asgas
asga
asgamos
asgáis
asgan

IMPERFECTO
asiera *o* asiese
asieras *o* asieses
asiera *o* asiese
asiéramos *o* asiésemos
asierais *o* asieseis
asieran *o* asiesen

FUTURO
asiere
asieres
asiere
asiéremos
asiereis
asieren

IMPERATIVO

ase
asga
asgamos
asid
asgan

FORMAS NO PERSONALES

INFINITIVO asir
GERUNDIO asiendo
PARTICIPIO asido

INDICATIVO

PRESENTE
oigo
oyes
oye
oímos
oís
oyen

IMPERFECTO
oía
oías
oía
oíamos
oíais
oían

INDEFINIDO
oí
oíste
oyó
oímos
oísteis
oyeron

FUTURO
oiré
oirás
oirá
oiremos
oiréis
oirán

CONDICIONAL
oiría
oirías
oiría
oiríamos
oiríais
oirían

SUBJUNTIVO

PRESENTE
oiga
oigas
oiga
oigamos
oigáis
oigan

IMPERFECTO
oyera o *oyese*
oyeras o *oyeses*
oyera o *oyese*
oyéramos o *oyésemos*
oyerais o *oyeseis*
oyeran o *oyesen*

FUTURO
oyere
oyeres
oyere
oyéremos
oyereis
oyeren

IMPERATIVO

oye
oiga
oigamos
oíd
oigan

FORMAS NO PERSONALES

INFINITIVO oír
GERUNDIO *oyendo*
PARTICIPIO oído

69 ROER

INDICATIVO

PRESENTE
roo, *roigo* o *royo*
roes
roe
roemos
roéis
roen

IMPERFECTO
roía
roías
roía
roíamos
roíais
roían

INDEFINIDO
roí
roíste
royó
roímos
roísteis
royeron

FUTURO
roeré
roerás
roerá
roeremos
roeréis
roerán

CONDICIONAL
roería
roerías
roería
roeríamos
roeríais
roerían

SUBJUNTIVO

PRESENTE
roa, *roiga* o *roya*
roas, *roigas* o *royas*
roa, *roiga* o *roya*
roamos, *roigamos* o *royamos*
roáis, *roigáis* o *royáis*
roan, *roigan* o *royan*

IMPERFECTO
royera o *royese*
royeras o *royeses*
royera o *royese*
royéramos o *royésemos*
royerais o *royeseis*
royeran o *royesen*

FUTURO
royere
royeres
royere
royéremos
royereis
royeren

IMPERATIVO

roe
roa, *roiga* o *roya*
roamos, *roigamos* o *royamos*
roed
roan, *roigan* o *royan*

FORMAS NO PERSONALES

INFINITIVO roer
GERUNDIO *royendo*
PARTICIPIO roído

INDICATIVO

PRESENTE
huyo
huyes
huye
huimos
huís
huyen

IMPERFECTO
huía
huías
huía
huíamos
huíais
huían

INDEFINIDO
huí
huiste
huyó
huimos
huisteis
huyeron

FUTURO
huiré
huirás
huirá
huiremos
huiréis
huirán

CONDICIONAL
huiría
huirías
huiría
huiríamos
huiríais
huirían

SUBJUNTIVO

PRESENTE
huya
huyas
huya
huyamos
huyáis
huyan

IMPERFECTO
huyera o *huyese*
huyeras o *huyeses*
huyera o *huyese*
huyéramos o *huyésemos*
huyerais o *huyeseis*
huyeran o *huyesen*

FUTURO
huyere
huyeres
huyere
huyéremos
huyereis
huyeren

IMPERATIVO

huye
huya
huyamos
huid
huyan

FORMAS NO PERSONALES

INFINITIVO huir
GERUNDIO *huyendo*
PARTICIPIO huido

71 ARGÜIR

INDICATIVO

PRESENTE
arguyo
arguyes
arguye
argüimos
argüís
arguyen

IMPERFECTO
argüía
argüías
argüía
argüíamos
argüíais
argüían

INDEFINIDO
argüí
argüiste
arguyó
argüimos
argüisteis
arguyeron

FUTURO
argüiré
argüirás
argüirá
argüiremos
argüiréis
argüirán

CONDICIONAL
argüiría
argüirías
argüiría
argüiríamos
argüiríais
argüirían

SUBJUNTIVO

PRESENTE
arguya
arguyas
arguya
arguyamos
arguyáis
arguyan

IMPERFECTO
arguyera o *arguyese*
arguyeras o *arguyeses*
arguyera o *arguyese*
arguyéramos o *arguyésemos*
arguyerais o *arguyeseis*
arguyeran o *arguyesen*

FUTURO
arguyere
arguyeres
arguyere
arguyéremos
arguyereis
arguyeren

IMPERATIVO

arguye
arguya
arguyamos
argüid
arguyan

FORMAS NO PERSONALES

INFINITIVO argüir
GERUNDIO *arguyendo*
PARTICIPIO argüido

TRAER 72

INDICATIVO

PRESENTE
traigo
traes
trae
traemos
traéis
traen

IMPERFECTO
traía
traías
traía
traíamos
traíais
traían

INDEFINIDO
traje
trajiste
trajo
trajimos
trajisteis
trajeron

FUTURO
traeré
traerás
traerá
traeremos
traeréis
traerán

CONDICIONAL
traería
traerías
traería
traeríamos
traeríais
traerían

SUBJUNTIVO

PRESENTE
traiga
traigas
traiga
traigamos
traigáis
traigan

IMPERFECTO
trajera o *trajese*
trajeras o *trajeses*
trajera o *trajese*
trajéramos o *trajésemos*
trajerais o *trajeseis*
trajeran o *trajesen*

FUTURO
trajere
trajeres
trajere
trajéremos
trajereis
trajeren

IMPERATIVO

trae
traiga
traigamos
traed
traigan

FORMAS NO PERSONALES

INFINITIVO traer
GERUNDIO *trayendo*
PARTICIPIO traído

73 CAER

INDICATIVO

PRESENTE
caigo
caes
cae
caemos
caéis
caen

IMPERFECTO
caía
caías
caía
caíamos
caíais
caían

INDEFINIDO
caí
caíste
cayó
caímos
caísteis
cayeron

FUTURO
caeré
caerás
caerá
caeremos
caeréis
caerán

CONDICIONAL
caería
caerías
caería
caeríamos
caeríais
caerían

SUBJUNTIVO

PRESENTE
caiga
caigas
caiga
caigamos
caigáis
caigan

IMPERFECTO
cayera o *cayese*
cayeras o *cayeses*
cayera o *cayese*
cayéramos o *cayésemos*
cayerais o *cayeseis*
cayeran o *cayesen*

FUTURO
cayere
cayeres
cayere
cayéremos
cayereis
cayeren

IMPERATIVO

cae
caiga
caigamos
caed
caigan

FORMAS NO PERSONALES

INFINITIVO caer
GERUNDIO *cayendo*
PARTICIPIO caído

RAER 74

INDICATIVO

PRESENTE
rao, *raigo* o *rayo*
raes
rae
raemos
raéis
raen

IMPERFECTO
raía
raías
raía
raíamos
raíais
raían

INDEFINIDO
raí
raíste
rayó
raímos
raísteis
rayeron

FUTURO
raeré
raerás
raerá
raeremos
raeréis
raerán

CONDICIONAL
raería
raerías
raería
raeríamos
raeríais
raerían

SUBJUNTIVO

PRESENTE
raiga o *raya*
raigas o *rayas*
raiga o *raya*
raigamos o *rayamos*
raigáis o *rayáis*
raigan o *rayan*

IMPERFECTO
rayera o *rayese*
rayeras o *rayeses*
rayera o *rayese*
rayéramos o *rayésemos*
rayerais o *rayeseis*
rayeran o *rayesen*

FUTURO
rayere
rayeres
rayere
rayéremos
rayereis
rayeren

IMPERATIVO

rae
raiga o *raya*
raigamos o *rayamos*
raed
raigan o *rayan*

FORMAS NO PERSONALES

INFINITIVO raer
GERUNDIO *rayendo*
PARTICIPIO raído

75 DAR

INDICATIVO

PRESENTE
doy
das
da
damos
dais
dan

IMPERFECTO
daba
dabas
daba
dábamos
dabais
daban

INDEFINIDO
di
diste
dio
dimos
disteis
dieron

FUTURO
daré
darás
dará
daremos
daréis
darán

CONDICIONAL
daría
darías
daría
daríamos
daríais
darían

SUBJUNTIVO

PRESENTE
dé
des
dé
demos
déis
den

IMPERFECTO
diera o diese
dieras o dieses
diera o diese
dieramos o diésemos
dierais o dieseis
dieran o diesen

FUTURO
diere
dieres
diere
diéremos
diereis
dieren

IMPERATIVO

da
dé
demos
dad
den

FORMAS NO PERSONALES

INFINITIVO dar
GERUNDIO dando
PARTICIPIO dado

INDICATIVO

PRESENTE
quepo
cabes
cabe
cabemos
cabéis
caben

IMPERFECTO
cabía
cabías
cabía
cabíamos
cabíais
cabían

INDEFINIDO
cupe
cupiste
cupo
cupimos
cupisteis
cupieron

FUTURO
cabré
cabrás
cabrá
cabremos
cabréis
cabrán

CONDICIONAL
cabría
cabrías
cabría
cabríamos
cabríais
cabrían

SUBJUNTIVO

PRESENTE
quepa
quepas
quepa
quepamos
quepáis
quepan

IMPERFECTO
cupiera o *cupiese*
cupieras o *cupieses*
cupiera o *cupiese*
cupiéramos o *cupiésemos*
cupierais o *cupieseis*
cupieran o *cupiesen*

FUTURO
cupiere
cupieres
cupiere
cupiéremos
cupiereis
cupieren

IMPERATIVO

cabe
quepa
quepamos
cabed
quepan

FORMAS NO PERSONALES

INFINITIVO caber
GERUNDIO cabiendo
PARTICIPIO cabido

77 HACER

INDICATIVO

PRESENTE
hago
haces
hace
hacemos
hacéis
hacen

IMPERFECTO
hacía
hacías
hacía
hacíamos
hacíais
hacían

INDEFINIDO
hice
hiciste
hizo
hicimos
hicisteis
hicieron

FUTURO
haré
harás
hará
haremos
haréis
harán

CONDICIONAL
haría
harías
haría
haríamos
haríais
harían

SUBJUNTIVO

PRESENTE
haga
hagas
haga
hagamos
hagáis
hagan

IMPERFECTO
hiciera o *hiciese*
hicieras o *hicieses*
hiciera o *hiciese*
hiciéramos o *hiciésemos*
hicierais o *hicieseis*
hicieran o *hiciesen*

FUTURO
hiciere
hicieres
hiciere
hiciéremos
hiciereis
hicieren

IMPERATIVO

haz
haga
hagamos
haced
hagan

FORMAS NO PERSONALES

INFINITIVO hacer

GERUNDIO haciendo

PARTICIPIO *hecho*

SATISFACER 78

INDICATIVO

PRESENTE
satisfago
satisfaces
satisface
satisfacemos
satisfacéis
satisfacen

IMPERFECTO
satisfacía
satisfacías
satisfacía
satisfacíamos
satisfacíais
satisfacían

INDEFINIDO
satisfice
satisficiste
satisfizo
satisficimos
satisficisteis
satisficieron

FUTURO
satisfaré
satisfarás
satisfará
satisfaremos
satisfaréis
satisfarán

CONDICIONAL
satisfaría
satisfarías
satisfaría
satisfaríamos
satisfaríais
satisfarían

SUBJUNTIVO

PRESENTE
satisfaga
satisfagas
satisfaga
satisfagamos
satisfagáis
satisfagan

IMPERFECTO
satisficiera o *satisficiese*
satisficieras o *satisficieses*
satisficiera o *satisficiese*
satisficiéramos o *satisficiésemos*
satisficierais o *satisficieseis*
satisficieran o *satisficiesen*

FUTURO
satisficiere
satisficieres
satisficiere
satisficiéremos
satisficiereis
satisficieren

IMPERATIVO

satisfaz o satisface
satisfaga
satisfagamos
satisfaced
satisfagan

FORMAS NO PERSONALES

INFINITIVO satisfacer
GERUNDIO satisfaciendo
PARTICIPIO *satisfecho*

79 RAREFACER

INDICATIVO

PRESENTE
rarefago
rarefaces
rareface
rarefacemos
rarefacéis
rarefacen

IMPERFECTO
rarefacía
rarefacías
rarefacía
rarefacíamos
rarefacíais
rarefacían

INDEFINIDO
rarefice
rareficiste
rarefizo
rareficimos
rareficisteis
rareficieron

FUTURO
rarefaré
rarefarás
rarefará
rarefaremos
rarefaréis
rarefarán

CONDICIONAL
rarefaría
rarefarías
rarefaría
rarefaríamos
rarefaríais
rarefarían

SUBJUNTIVO

PRESENTE
rarefaga
rarefagas
rarefaga
rarefagamos
rarefagáis
rarefagan

IMPERFECTO
rareficiera o *rareficiese*
rareficieras o *rareficieses*
rareficiera o *rareficiese*
rareficiéramos o *rareficiésemos*
rareficierais o *rareficieseis*
rareficieran o *rareficiesen*

FUTURO
rareficiere
rareficieres
rareficiere
rareficiéremos
rareficiereis
rareficieren

IMPERATIVO

rarefaz
rarefaga
rarefagamos
rarefaced
rarefagan

FORMAS NO PERSONALES

INFINITIVO rarefacer
GERUNDIO rarefaciendo
PARTICIPIO *rarefecho*

INDICATIVO

PRESENTE
río
ríes
ríe
reímos
reís
ríen

IMPERFECTO
reía
reías
reía
reíamos
reíais
reían

INDEFINIDO
reí
reíste
rió
reímos
reísteis
rieron

FUTURO
reiré
reirás
reirá
reiremos
reiréis
reirán

CONDICIONAL
reiría
reirías
reiría
reiríamos
reiríais
reirían

SUBJUNTIVO

PRESENTE
ría
rías
ría
riamos
riáis
rían

IMPERFECTO
riera o riese
rieras o rieses
riera o riese
riéramos o riésemos
rierais o rieseis
rieran o riesen

FUTURO
riere
rieres
riere
riéremos
riereis
rieren

IMPERATIVO

ríe
ría
riamos
reíd
rían

FORMAS NO PERSONALES

INFINITIVO reír
GERUNDIO *riendo*
PARTICIPIO reído

81 FREÍR

INDICATIVO

PRESENTE
frío
fríes
fríe
freímos
freís
fríen

IMPERFECTO
freía
freías
freía
freíamos
freíais
freían

INDEFINIDO
freí
freíste
frió
freímos
freísteis
frieron

FUTURO
freiré
freirás
freirá
freiremos
freiréis
freirán

CONDICIONAL
freiría
freirías
freiría
freiríamos
freiríais
freirían

SUBJUNTIVO

PRESENTE
fría
frías
fría
friamos
friáis
frían

IMPERFECTO
friera o friese
frieras o frieses
friera o friese
friéramos o friésemos
frierais o frieseis
frieran o friesen

FUTURO
friere
frieres
friere
friéremos
friereis
frieren

IMPERATIVO

fríe
fría
friamos
freíd
frían

FORMAS NO PERSONALES

INFINITIVO freír

GERUNDIO *friendo*

PARTICIPIO *frito*

INDICATIVO

PRESENTE
bruño
bruñes
bruñe
bruñimos
bruñís
bruñen

IMPERFECTO
bruñía
bruñías
bruñía
bruñíamos
bruñíais
bruñían

INDEFINIDO
bruñí
bruñiste
bruñó
bruñimos
bruñisteis
bruñeron

FUTURO
bruñiré
bruñirás
bruñirá
bruñiremos
bruñiréis
bruñirán

CONDICIONAL
bruñiría
bruñirías
bruñiría
bruñiríamos
bruñiríais
bruñirían

SUBJUNTIVO

PRESENTE
bruña
bruñas
bruña
bruñamos
bruñáis
bruñan

IMPERFECTO
bruñera o bruñese
bruñeras o bruñeses
bruñera o bruñese
bruñéramos o bruñésemos
bruñerais o bruñeseis
bruñeran o bruñesen

FUTURO
bruñere
bruñeres
bruñere
bruñéremos
bruñereis
bruñeren

IMPERATIVO

bruñe
bruña
bruñamos
bruñid
bruñan

FORMAS NO PERSONALES

INFINITIVO bruñir

GERUNDIO *bruñendo*

PARTICIPIO bruñido

83 ENGULLIR

INDICATIVO

PRESENTE
engullo
engulles
engulle
engullimos
engullís
engullen

IMPERFECTO
engullía
engullías
engullía
engullíamos
engullíais
engullían

INDEFINIDO
engullí
engulliste
engulló
engullimos
engullisteis
engulleron

FUTURO
engulliré
engullirás
engullirá
engulliremos
engulliréis
engullirán

CONDICIONAL
engulliría
engullirías
engulliría
engulliríamos
engulliríais
engullirían

SUBJUNTIVO

PRESENTE
engulla
engullas
engulla
engullamos
engulláis
engullan

IMPERFECTO
engullera o *engullese*
engulleras o *engulleses*
engullera o *engullese*
engulléramos o *engullésemos*
engullerais o *engulleseis*
engulleran o *engullesen*

FUTURO
engullere
engulleres
engullere
engulléremos
engullereis
engulleren

IMPERATIVO

engulle
engulla
engullamos
engullid
engullan

FORMAS NO PERSONALES

INFINITIVO engullir
GERUNDIO *engullendo*
PARTICIPIO engullido

INDICATIVO

PRESENTE
taño
tañes
tañe
tañemos
tañéis
tañen

IMPERFECTO
tañía
tañías
tañía
tañíamos
tañíais
tañían

INDEFINIDO
tañí
tañiste
tañó
tañimos
tañisteis
tañeron

FUTURO
tañeré
tañerás
tañerá
tañeremos
tañeréis
tañerán

CONDICIONAL
tañería
tañerías
tañería
tañeríamos
tañeríais
tañerían

SUBJUNTIVO

PRESENTE
taña
tañas
taña
tañamos
tañáis
tañan

IMPERFECTO
tañera o *tañese*
tañeras o *tañeses*
tañera o *tañese*
tañéramos o *tañésemos*
tañerais o *tañeseis*
tañeran o *tañesen*

FUTURO
tañere
tañeres
tañere
tañéremos
tañereis
tañeren

IMPERATIVO

tañe
taña
tañamos
tañed
tañan

FORMAS NO PERSONALES

INFINITIVO tañer
GERUNDIO *tañendo*
PARTICIPIO tañido

85 ANDAR

INDICATIVO

PRESENTE
ando
andas
anda
andamos
andáis
andan

IMPERFECTO
andaba
andabas
andaba
andábamos
andabais
andaban

INDEFINIDO
anduve
anduviste
anduvo
anduvimos
anduvisteis
anduvieron

FUTURO
andaré
andarás
andará
andaremos
andaréis
andarán

CONDICIONAL
andaría
andarías
andaría
andaríamos
andaríais
andarían

SUBJUNTIVO

PRESENTE
ande
andes
ande
andemos
andéis
anden

IMPERFECTO
anduviera o *anduviese*
anduvieras o *anduvieses*
anduviera o *anduviese*
anduviéramos o *anduviésemos*
anduvierais o *anduvieseis*
anduvieran o *anduviesen*

FUTURO
anduviere
anduvieres
anduviere
anduviéremos
anduviereis
anduvieren

IMPERATIVO

anda
ande
andemos
andad
anden

FORMAS NO PERSONALES

INFINITIVO andar
GERUNDIO andando
PARTICIPIO andado

CONDUCIR 86

INDICATIVO

PRESENTE
conduzco
conduces
conduce
conducimos
conducís
conducen

IMPERFECTO
conducía
conducías
conducía
conducíamos
conducíais
conducían

INDEFINIDO
conduje
condujiste
condujo
condujimos
condujisteis
condujeron

FUTURO
conduciré
conducirás
conducirá
conduciremos
conduciréis
conducirán

CONDICIONAL
conduciría
conducirías
conduciría
conduciríamos
conduciríais
conducirían

SUBJUNTIVO

PRESENTE
conduzca
conduzcas
conduzca
conduzcamos
conduzcáis
conduzcan

IMPERFECTO
condujera o *condujese*
condujeras o *condujeses*
condujera o *condujese*
condujéramos o *condujésemos*
condujerais o *condujeseis*
condujeran o *condujesen*

FUTURO
condujere
condujeres
condujere
condujéremos
condujereis
condujeren

IMPERATIVO

conduce
conduzca
conduzcamos
conducid
conduzcan

FORMAS NO PERSONALES

INFINITIVO conducir
GERUNDIO conduciendo
PARTICIPIO conducido

87

DECIR

INDICATIVO

PRESENTE
digo
dices
dice
decimos
decís
dicen

IMPERFECTO
decía
decías
decía
decíamos
decíais
decían

INDEFINIDO
dije
dijiste
dijo
dijimos
dijisteis
dijeron

FUTURO
diré
dirás
dirá
diremos
diréis
dirán

CONDICIONAL
diría
dirías
diría
diríamos
diríais
dirían

SUBJUNTIVO

PRESENTE
diga
digas
diga
digamos
digáis
digan

IMPERFECTO
dijera o *dijese*
dijeras o *dijeses*
dijera o *dijese*
dijéramos o *dijésemos*
dijerais o *dijeseis*
dijeran o *dijesen*

FUTURO
dijere
dijeres
dijere
dijéremos
dijereis
dijeren

IMPERATIVO

di
diga
digamos
decid
digan

FORMAS NO PERSONALES

INFINITIVO decir
GERUNDIO *diciendo*
PARTICIPIO *dicho*

INDICATIVO

PRESENTE
bendigo
bendices
bendice
bendecimos
bendecís
bendicen

IMPERFECTO
bendecía
bendecías
bendecía
bendecíamos
bendecíais
bendecían

INDEFINIDO
bendije
bendijiste
bendijo
bendijimos
bendijisteis
bendijeron

FUTURO
bendeciré
bendecirás
bendecirá
bendeciremos
bendeciréis
bendecirán

CONDICIONAL
bendeciría
bendecirías
bendeciría
bendeciríamos
bendeciríais
bendecirían

SUBJUNTIVO

PRESENTE
bendiga
bendigas
bendiga
bendigamos
bendigáis
bendigan

IMPERFECTO
bendijera o *bendijese*
bendijeras o *bendijeses*
bendijera o *bendijese*
bendijéramos o *bendijésemos*
bendijerais o *bendijeseis*
bendijeran o *bendijesen*

FUTURO
bendijere
bendijeres
bendijere
bendijéremos
bendijereis
bendijeren

IMPERATIVO

bendice
bendiga
bendigamos
bendecid
bendigan

FORMAS NO PERSONALES

INFINITIVO bendecir

GERUNDIO *bendiciendo*

PARTICIPIO bendecido

89 PREDECIR

INDICATIVO

PRESENTE
predigo
predices
predice
predecimos
predecís
predicen

IMPERFECTO
predecía
predecías
predecía
predecíamos
predecíais
predecían

INDEFINIDO
predije
predijiste
predijo
predijimos
predijisteis
predijeron

FUTURO
predeciré
predecirás
predecirá
predeciremos
predeciréis
predecirán

CONDICIONAL
predeciría
predecirías
predeciría
predeciríamos
predeciríais
predecirían

SUBJUNTIVO

PRESENTE
prediga
predigas
prediga
predigamos
predigáis
predigan

IMPERFECTO
predijera o *predijese*
predijeras o *predijeses*
predijera o *predijese*
predijéramos o *predijésemos*
predijerais o *predijeseis*
predijeran o *predijesen*

FUTURO
predijere
predijeres
predijere
predijéremos
predijereis
predijeren

IMPERATIVO

predice
prediga
predigamos
predecid
predigan

FORMAS NO PERSONALES

INFINITIVO predecir
GERUNDIO *prediciendo*
PARTICIPIO *predicho*

ESTAR 90

INDICATIVO

PRESENTE
estoy
estás
está
estamos
estáis
están

IMPERFECTO
estaba
estabas
estaba
estábamos
estabais
estaban

INDEFINIDO
estuve
estuviste
estuvo
estuvimos
estuvisteis
estuvieron

FUTURO
estaré
estarás
estará
estaremos
estaréis
estarán

CONDICIONAL
estaría
estarías
estaría
estaríamos
estaríais
estarían

SUBJUNTIVO

PRESENTE
esté
estés
esté
estemos
estéis
estén

IMPERFECTO
estuviera o *estuviese*
estuvieras o *estuvieses*
estuviera o *estuviese*
estuviéramos o *estuviésemos*
estuvierais o *estuvieseis*
estuvieran o *estuviesen*

FUTURO
estuviere
estuvieres
estuviere
estuviéremos
estuviereis
estuvieren

IMPERATIVO

está
esté
estemos
estad
estén

FORMAS NO PERSONALES

INFINITIVO estar
GERUNDIO estando
PARTICIPIO estado

91 PLACER

INDICATIVO

PRESENTE
plazco
places
place
placemos
placéis
placen

IMPERFECTO
placía
placías
placía
placíamos
placíais
placían

INDEFINIDO
plací
placiste
plació o *plugo*
placimos
placisteis
placieron o *pluguieron*

FUTURO
placeré
placerás
placerá
placeremos
placeréis
placerán

CONDICIONAL
placería
placerías
placería
placeríamos
placeríais
placerían

SUBJUNTIVO

PRESENTE
plazca
plazcas
plazca o *plegue*
plazcamos
plazcáis
plazcan

IMPERFECTO
placiera o placiese
placieras o placieses
placiera o placiese o *pluguiera* o *pluguiese*
placiéramos o placiésemos
placierais o placieseis
placieran o placiesen o *pluguieran* o *pluguiesen*

FUTURO
placiere
placieres
placiere o *pluguiere*
placiéremos
placiereis
placieren o *pluguieren*

IMPERATIVO

place
plazca
plazcamos
placed
plazcan

FORMAS NO PERSONALES

INFINITIVO placer
GERUNDIO placiendo
PARTICIPIO placido

INDICATIVO

PRESENTE
puedo
puedes
puede
podemos
podéis
pueden

IMPERFECTO
podía
podías
podía
podíamos
podíais
podían

INDEFINIDO
pude
pudiste
pudo
pudimos
pudisteis
pudieron

FUTURO
podré
podrás
podrá
podremos
podréis
podrán

CONDICIONAL
podría
podrías
podría
podríamos
podríais
podrían

SUBJUNTIVO

PRESENTE
pueda
puedas
pueda
podamos
podáis
puedan

IMPERFECTO
pudiera o *pudiese*
pudieras o *pudieses*
pudiera o *pudiese*
pudiéramos o *pudiésemos*
pudierais o *pudieseis*
pudieran o *pudiesen*

FUTURO
pudiere
pudieres
pudiere
pudiéremos
pudiereis
pudieren

IMPERATIVO

puede
pueda
podamos
poded
puedan

FORMAS NO PERSONALES

INFINITIVO poder
GERUNDIO *pudiendo*
PARTICIPIO podido

93 QUERER

INDICATIVO

PRESENTE
quiero
quieres
quiere
queremos
queréis
quieren

IMPERFECTO
quería
querías
quería
queríamos
queríais
querían

INDEFINIDO
quise
quisiste
quiso
quisimos
quisisteis
quisieron

FUTURO
querré
querrás
querrá
querremos
querréis
querrán

CONDICIONAL
querría
querrías
querría
querríamos
querríais
querrían

SUBJUNTIVO

PRESENTE
quiera
quieras
quiera
queramos
queráis
quieran

IMPERFECTO
quisiera o *quisiese*
quisieras o *quisieses*
quisiera o *quisiese*
quisiéramos o *quisiésemos*
quisierais o *quisieseis*
quisieran o *quisiesen*

FUTURO
quisiere
quisieres
quisiere
quisiéremos
quisiereis
quisieren

IMPERATIVO

quiere
quiera
queramos
quered
quieran

FORMAS NO PERSONALES

INFINITIVO querer
GERUNDIO queriendo
PARTICIPIO querido

INDICATIVO

PRESENTE
sé
sabes
sabe
sabemos
sabéis
saben

IMPERFECTO
sabía
sabías
sabía
sabíamos
sabíais
sabían

INDEFINIDO
supe
supiste
supo
supimos
supisteis
supieron

FUTURO
sabré
sabrás
sabrá
sabremos
sabréis
sabrán

CONDICIONAL
sabría
sabrías
sabría
sabríamos
sabríais
sabrían

SUBJUNTIVO

PRESENTE
sepa
sepas
sepa
sepamos
sepáis
sepan

IMPERFECTO
supiera o *supiese*
supieras o *supieses*
supiera o *supiese*
supiéramos o *supiésemos*
supierais o *supieseis*
supieran o *supiesen*

FUTURO
supiere
supieres
supiere
supiéremos
supiereis
supieren

IMPERATIVO

sabe
sepa
sepamos
sabed
sepan

FORMAS NO PERSONALES

INFINITIVO saber
GERUNDIO sabiendo
PARTICIPIO sabido

95 TENER

INDICATIVO

PRESENTE
tengo
tienes
tiene
tenemos
tenéis
tienen

IMPERFECTO
tenía
tenías
tenía
teníamos
teníais
tenían

INDEFINIDO
tuve
tuviste
tuvo
tuvimos
tuvisteis
tuvieron

FUTURO
tendré
tendrás
tendrá
tendremos
tendréis
tendrán

CONDICIONAL
tendría
tendrías
tendría
tendríamos
tendríais
tendrían

SUBJUNTIVO

PRESENTE
tenga
tengas
tenga
tengamos
tengáis
tengan

IMPERFECTO
tuviera o *tuviese*
tuvieras o *tuvieses*
tuviera o *tuviese*
tuviéramos o *tuviésemos*
tuvierais o *tuvieseis*
tuvieran o *tuviesen*

FUTURO
tuviere
tuvieres
tuviere
tuviéremos
tuviereis
tuvieren

IMPERATIVO

ten
tenga
tengamos
tened
tengan

FORMAS NO PERSONALES

INFINITIVO tener
GERUNDIO teniendo
PARTICIPIO tenido

INDICATIVO

PRESENTE
vengo
vienes
viene
venimos
venís
vienen

IMPERFECTO
venía
venías
venía
veníamos
veníais
venían

INDEFINIDO
vine
viniste
vino
vinimos
vinisteis
vinieron

FUTURO
vendré
vendrás
vendrá
vendremos
vendréis
vendrán

CONDICIONAL
vendría
vendrías
vendría
vendríamos
vendríais
vendrían

SUBJUNTIVO

PRESENTE
venga
vengas
venga
vengamos
vengáis
vengan

IMPERFECTO
viniera o *viniese*
vinieras o *vinieses*
viniera o *viniese*
viniéramos o *viniésemos*
vinierais o *vinieseis*
vinieran o *viniesen*

FUTURO
viniere
vinieres
viniere
viniéremos
viniereis
vinieren

IMPERATIVO

ven
venga
vengamos
venid
vengan

FORMAS NO PERSONALES

INFINITIVO venir

GERUNDIO *viniendo*

PARTICIPIO venido

97 HABER

INDICATIVO

PRESENTE
he
has
ha (hay)
hemos
habéis
han

IMPERFECTO
había
habías
había
habíamos
habíais
habían

INDEFINIDO
hube
hubiste
hubo
hubimos
hubisteis
hubieron

FUTURO
habré
habrás
habrá
habremos
habréis
habrán

CONDICIONAL
habría
habrías
habría
habríamos
habríais
habrían

SUBJUNTIVO

PRESENTE
haya
hayas
haya
hayamos
hayáis
hayan

IMPERFECTO
hubiera o *hubiese*
hubieras o *hubieses*
hubiera o *hubiese*
hubiéramos o *hubiésemos*
hubierais o *hubieseis*
hubieran o *hubiesen*

FUTURO
hubiere
hubieres
hubiere
hubiéremos
hubiereis
hubieren

IMPERATIVO

he
haya
hayamos
habed
hayan

FORMAS NO PERSONALES

INFINITIVO haber
GERUNDIO habiendo
PARTICIPIO habido

INDICATIVO

PRESENTE
soy
eres
es
somos
sois
son

IMPERFECTO
era
eras
era
éramos
erais
eran

INDEFINIDO
fui
fuiste
fue
fuimos
fuisteis
fueron

FUTURO
seré
serás
será
seremos
seréis
serán

CONDICIONAL
sería
serías
sería
seríamos
seríais
serían

SUBJUNTIVO

PRESENTE
sea
seas
sea
seamos
seáis
sean

IMPERFECTO
fuera o fuese
fueras o fueses
fuera o fuese
fuéramos o fuésemos
fuerais o fueseis
fueran o fuesen

FUTURO
fuere
fueres
fuere
fuéremos
fuereis
fueren

IMPERATIVO

sé
sea
seamos
sed
sean

FORMAS NO PERSONALES

INFINITIVO ser
GERUNDIO siendo
PARTICIPIO sido

99 IR

INDICATIVO

PRESENTE
voy
vas
va
vamos
vais
van

IMPERFECTO
iba
ibas
iba
íbamos
ibais
iban

INDEFINIDO
fui
fuiste
fue
fuimos
fuisteis
fueron

FUTURO
iré
irás
irá
iremos
iréis
irán

CONDICIONAL
iría
irías
iría
iríamos
iríais
irían

SUBJUNTIVO

PRESENTE
vaya
vayas
vaya
vayamos
vayáis
vayan

IMPERFECTO
fuera o *fuese*
fueras o *fueses*
fuera o *fuese*
fuéramos o *fuésemos*
fuerais o *fueseis*
fueran o *fuesen*

FUTURO
fuere
fueres
fuere
fuéremos
fuereis
fueren

IMPERATIVO

ve
vaya
vayamos
id
vayan

FORMAS NO PERSONALES

INFINITIVO ir

GERUNDIO *yendo*

PARTICIPIO ido

Índice alfabético de verbos

A

aburrir	3
abusar	1
abuzarse	11
acaballar	1
acaballerar	1
acaballonar	1
acabañar	1
acabar	1
acabildar	1
acachetar	1
acachetear	1
academizar	11
acaecer	61
acairelar	1
acalambrarse	1
acalenturarse	1
acallar	1
acalorar	1
acamalar	1
acamar	1
acampanar	1
acampar	1
acanalar	1
acanallar	1
acantarar	1
acantilar	1
acantonar	1
acañaverear	1
acañonear	1
acaparar	1
acaramelar	1
acarar	1
acardenalar	1
acarear	1
acariciar	1
acarralar	1
acarrarse	1
acarrear	1
acartonarse	1
acatarrar	1
acatar	1
acaudalar	1
acaudillar	1
acautelarse	1
acceder	2
accidentar	1
accionar	1
acebadar	1
acechar	1
acecinar	1
acedar	1
aceitar	1
acelerar	1
acendrar	1
acensar	1
acensuar	19
acentuar	19
acepar	1
acepillar	1
aceptar	1
acequiar	1
acerar	1
acercar	4
acernadar	1
acerrojar	1
acertar	49
acetificar	4
acetrinar	1
acezar	11
achabacanar	1
achacar	4
achaflanar	1
achanchar	1
achantar	1
achaparrarse	1
acharar	1
acharolar	1
achatar	1
achicar	4
achicharrar	1
achinar	1
achispar	1
achocar	4
achocharse	1
achubascarse	4
achuchar	1
achulaparse	1
achularse	1
achunchar	1
achuntar	1
achuñuscarse	1
achurar	1
acibarar	1
acicalar	1
acicatear	1
acidificar	4
acidular	1
aciemar	1
aciguatarse	1
acivilarse	1
aclamar	1
aclarar	1
aclarecer	61
aclimatar	1
aclocar	42
acobardar	1
acobijar	1
acocarse	4
acocear	1
acocharse	1
acochinar	1
acocotar	1
acodalar	1
acodar	1
acoderar	1
acodiciar	1
acodillar	1
acofrar	1
acoger	15
acogollar	1
acogombrar	1
acogotar	1
acohombrar	1
acojinar	1
acojonar	1
acollarar	1

acollar	36
acollonar	1
acombar	1
acomedirse	32
acometer	2
acomodar	1
acompañar	1
acompasar	1
acomplejar	1
aconchabarse	1
aconchar	1
acondicionar	1
acongojar	1
aconsejar	1
aconsonantar	1
acontecer	61
acopar	1
acopiar	1
acoplar	1
acoquinar	1
acorar	1
acorazar	11
acorchar	1
acordar	36
acordelar	1
acordonar	1
acornar	1
acornear	1
acorralar	1
acorrer	2
acorrucarse	1
acortar	1
acorvar	1
acosar	1
acostar	36
acostumbrar	1
acotar	1
acoyundar	1
acoyuntar	1
acrecentar	49
acrecer	61
acreditar	1
acrianzar	11
acribar	1
acribillar	1
acriminar	1
acriollarse	1
acrisolar	1
acristalar	1
acristianar	1
acromatizar	11
activar	1
actualizar	11
actuar	**19**
acuadrillar	1
acuantiar	1
acuartelar	1
acuartillar	1
acuatizar	11
acubilar	1
acuchillar	1
acuciar	1
acuclillarse	1
acudir	3
acuitar	1
acular	1
acumular	1
acunar	1
acuñar	1
acurrucarse	4
acusar	1
adamar	1
adamascar	4
adaptar	1
adargar	7
adatar	1
adecenar	1
adecentar	1
adecuar	1
adehesar	1
adelantar	1
adelgazar	11
ademar	1
adensar	1
adentellar	1
adentrarse	1
aderezar	11
adestrar	49
adeudar	1
adherir	56
adiar	18
adicionar	1
adiestrar	1
adietar	1
adinerarse	1
adir	3
adivinar	1
adjetivar	1
adjudicar	4
adjuntar	1
adminicular	1
administrar	1
admirar	1
admitir	3
adobar	1
adocenar	1
adoctrinar	1
adolecer	61
adoptar	1
adoquinar	1
adorar	1
adormecer	61
adormilarse	1
adormir	47
adormitarse	1
adornar	1
adosar	1
adquirir	**54**
adscribir	28
adsorber	2
adstringir	16
aduanar	1
aducir	86
adueñarse	1
adujar	1
adular	1

adulcir	86	aforar [de *aforo*]	1	agraciar	1
adulterar	1	aforar [de *fueros*]	36	agradar	1
adulzar	11	aforrar	1	agradecer	61
adulzorar	1	afortunar	1	agramar	1
adumbrar	1	afosarse	1	agramilar	1
adunar	1	afoscarse	4	agrandar	1
advenir	96	afrailar	1	agravar	1
adverar	1	afrancesar	1	agraviar	1
adverbializar	11	afrentar	1	agrazar	11
advertir	56	afretar	1	agredir	24
aerotransportar	1	africanizar	11	agregar	7
afamar	1	afrontar	1	agremiar	1
afanar	1	agachar	1	agriar	1
afear	1	agalerar	1	agrietar	1
afeblecerse	61	agamuzar	11	agrillarse	1
afeccionarse	1	agarbarse	1	agringarse	7
afectar	1	agarrafar	1	agriparse	1
afeitar	1	agarrar	1	agrisar	1
afelpar	1	agarrochar	1	agrumar	1
afeminar	1	agarrotar	1	agrupar	1
aferrar	1	agasajar	1	aguacharnar	1
afervorizar	11	agatizarse	11	aguachinar	1
afianzar	11	agaucharse	1	aguaitar	1
aficionar	1	agavillar	1	aguamelar	1
afielar	1	agazaparse	1	aguantar	1
afijarse	1	agenciar	1	aguardar	1
afilar	1	agigantar	1	aguar	9
afiliar	1	agilipollar	1	aguazar	11
afiligranar	1	agilitar	1	agudizar	11
afinar	1	agilizar	11	aguerrir	24
afincar	4	aginar	1	aguijar	1
afirmar	1	agitanar	1	aguijonear	1
afistular	1	agitar	1	agujerar	1
aflautar	1	aglomerar	1	agujerear	1
afligir	16	aglutinar	1	agusanarse	1
aflojar	1	agobiar	1	aguzar	11
aflorar	1	agolpar	1	ahechar	1
afluir	70	agonizar	11	ahelear	1
afofarse	1	**agorar**	**38**	aherrojar	1
afogarar	1	agorgojarse	1	aherrumbrar	1
afollar	36	agostar	1	ahervorarse	1
afondar	1	agotar	1	ahidalgar	7

ahijar	20
ahilar	20
ahincar	**5**
ahitar	20
ahocicar	4
ahocinarse	1
ahogar	7
ahombrarse	1
ahondar	1
ahorcajarse	1
ahorcar	4
ahormar	1
ahornagarse	7
ahornar	1
ahorquillar	1
ahorrar	1
ahoyar	1
ahuchar	21
ahuchear	1
ahuecar	4
ahuevar	1
ahumar	21
ahusar	21
ahuyentar	1
airar	20
airear	1
aislar	**20**
ajabardar	1
ajamonarse	1
ajardinar	1
ajar	1
ajear	1
ajetrear	1
ajironar	1
ajonjear	1
ajorar	1
ajornalar	1
ajorrar	1
ajuarar	1
ajuglarar	1
ajuiciar	1
ajunquillar	1
ajuntar	1
ajustar	1
ajusticiar	1
alabar	1
alabear	1
alaciarse	1
alacranear	1
aladrar	1
alagarse	7
alambicar	4
alambrar	1
alambrear	1
alampar	1
alancear	1
alanzar	11
alardear	1
alargar	7
alarmar	1
alastrar	1
albañilear	1
albardar	1
albayaldar	1
albear	1
albeldar	49
albergar	7
alborear	1
alborotar	1
alborozar	11
albuminar	1
alcachofar	1
alcahuetear	1
alcalinizar	11
alcalizar	11
alcanforar	1
alcantarillar	1
alcanzar	11
alcayatar	1
alcoholar	1
alcoholizar	11
alcorzar	11
aldabear	1
alear	1
alebrastarse	1
alebrestarse	1
aleccionar	1
alegamar	1
alegar	7
alegorizar	11
alegrar	1
alejar	1
alelar	1
alentar	49
alertar	1
aletargar	7
aletear	1
alfabetizar	11
alfar	1
alfeizar	11
alfeñicarse	4
alfombrar	1
alforzar	11
algodonar	1
alhajar	1
alheñar	1
aliar	18
alicatar	1
alicortar	1
alienar	1
aligerar	1
alijar	1
alimentar	1
alimonarse	1
alindar	1
alinear	1
aliñar	1
aliquebrar	49
alisar	1
alistar	1
aliviar	1
aljofarar	1
allanar	1
allegar	7
almacenar	1
almacigar	7

almadiarse	18
almagrar	1
almarbatar	1
almenar	1
almiarar	1
almibarar	1
almidonar	1
almizclar	1
almohadillar	1
almohazar	11
almonedar	1
almonedear	1
almorzar	41
alobarse	1
alocar	4
alojar	1
alomar	1
alquilar	1
alquitarar	1
alquitranar	1
altearse	1
alterar	1
altercar	4
alternar	1
alucinar	1
aludir	3
alumbrar	1
alunizar	11
alustrar	1
alzaprimar	1
alzar	11
amachetear	1
amacollar	1
amadrigar	7
amadrinar	1
amaestrar	1
amagar	7
amainar	1
amaitinar	1
amajadar	1
amajanar	1
amalgamar	1
amamantar	1
amancebarse	1
amancillar	1
amanear	1
amanecer	61
amanerar	1
amaniatar	1
amanojar	1
amansar	1
amañar	1
amarar	1
amarchantarse	1
amargar	7
amariconarse	1
amarillear	1
amarillecer	61
amarinar	1
amarizar	11
amaromar	1
amarrar	1
amarrocar	1
amartelar	1
amartillar	1
amar	1
amasar	1
amasijar	1
amayorazgar	7
ambicionar	1
ambientar	1
amblar	1
ambutar	1
amechar	1
amedrentar	1
amelar	49
amelcochar	1
amelgar	7
amellar	1
amenazar	11
amenguar	9
amenizar	11
amenorgar	7
amerar	1
americanizar	11
ameritar	1
amerizar	11
ametrallar	1
amigar	7
amilanar	1
amillarar	1
aminar	1
aminorar	1
amistar	1
amnistiar	18
amoblar	36
amochar	1
amodorrar	1
amodorrecer	61
amohecer	61
amohinar	20
amojamar	1
amojonar	1
amolar	36
amoldar	1
amollar	36
amonarse	1
amonedar	1
amonestar	1
amontar	1
amontazgar	7
amontonar	1
amoquillar	1
amoratarse	1
amordazar	11
amorecer	61
amorgar	7
amoricarse	4
amorillar	1
amorrar	1
amorriñarse	1
amorronar	1
amortajar	1
amortecer	61
amortiguar	9
amortizar	11

amorugarse	7
amoscar	4
amosquilarse	1
amostazar	11
amotinar	1
amover	43
amparar	1
ampliar	18
amplificar	4
ampollar	1
amputar	1
amueblar	1
amuelar	1
amuermar	1
amugronar	1
amurallar	1
amurar	1
amurcar	4
amurriarse	1
amusgar	7
amustiar	1
anadear	1
analizar	11
anarquizar	11
anastomizarse	11
anatematizar	11
anatomizar	11
anchar	1
anchoar	1
anclar	1
ancorar	1
andamiar	1
andar	**85**
andorrear	1
anear	1
aneblar	49
anegar	7
anejar	1
anestesiar	1
anexar	1
anexionar	1
angarillar	1
angelizarse	11
anglicanizar	11
angostar	1
angustiar	1
anhelar	1
anidar	1
anieblar	1
anillar	1
animalizar	11
animar	1
aniñarse	1
aniquilar	1
anisar	1
anochecer	61
anodinar	1
anodizar	11
anonadar	1
anortar	1
anotar	1
anquilosar	1
ansiar	18
antagallar	1
anteceder	2
antecoger	15
antedatar	1
antenunciar	1
anteponer	66
antever	60
anticipar	1
anticuar	1
antiguar	9
antojarse	1
antorchar	1
antruejar	1
anublar	1
anudar	1
anular	1
anunciar	1
anzolar	36
añadir	3
añejar	1
añilar	1
añorar	1
añublar	1
añudar	1
añusgarse	7
aojar	1
aovar	1
aovillar	1
apabilar	1
apabullar	1
apacentar	49
apaciguar	9
apadrinar	1
apagar	7
apaisar	1
apalabrar	1
apalancar	4
apalear	1
apalpar	1
apandar	1
apandillar	1
apantallar	1
apantanar	1
apañar	1
apañuscar	4
aparar	1
aparatarse	1
aparcar	4
aparear	1
aparecer	61
aparejar	1
aparentar	1
aparrar	1
aparroquiar	1
apartar	1
apartidar	1
aparvar	1
apasionar	1
apastar	1
apayasar	1
apear	1
apechar	1
apechugar	7

apedazar	11
apedrear	1
apegarse	7
apelambrar	1
apelar	1
apellar	1
apellidar	1
apelmazar	11
apelotonar	1
apenar	1
apencar	4
apensionarse	1
apeñuscar	4
aperar	1
apercibir	3
aperdigar	7
apergaminarse	1
aperrear	1
apersonarse	1
apesadumbrar	1
apesgar	7
apestar	1
apestillar	1
apetecer	61
apezuñar	1
apiadar	1
apianar	1
apicararse	1
apilar	1
apimpollarse	1
apiñar	1
apiolar	1
apiparse	1
apisonar	1
apitonar	1
aplacar	4
aplacer	61
aplanar	1
aplanchar	1
aplantillar	1
aplastar	1
aplatanarse	1
aplaudir	3
aplazar	11
aplebeyar	1
aplicar	4
aplomar	1
apocar	4
apocopar	1
apodar	1
apoderar	1
apolillar	1
apoltronarse	1
apomazar	11
apontocar	4
apopar	1
apoquinar	1
aporcar	42
aporismarse	1
aporrear	1
aporrillarse	1
aportar	1
aportillar	1
aposentar	1
apostar ['colocar']	1
apostar [de *apuesta*]	36
apostatar	1
apostemar	1
apostillar	1
apostrofar	1
apoyar	1
apreciar	1
aprehender	2
apremiar	1
aprender	2
apresar	1
aprestar	1
apresurar	1
apretar	49
apretujar	1
apriscar	4
aprisionar	1
aproar	1
aprobar	36
aprontar	1
apropiar	1
aprovechar	1
aprovisionar	1
aproximar	1
apulgararse	1
apunarse	1
apunchar	1
apuntalar	1
apuntar	1
apuntillar	1
apuñalar	1
apuñar	1
apuñear	1
apurar	1
aquejar	1
aquerenciarse	1
aquietar	1
aquilatar	1
aquintralarse	1
aquistar	1
arabizar	11
arañar	1
arar	1
arbitrar	1
arbolar	1
arbolecer	61
arborecer	61
arborizar	11
arcabucear	1
arcaizar	12
arcar	4
archivar	1
arcillar	1
ardalear	1
arder	2
arelar	1
arenar	1
arencar	4
arengar	7
arfar	1

argamasar	1
argayar	1
argentar	1
argollar	1
argüir	**71**
argumentar	1
aricar	4
aridecer	61
ariscarse	4
aristocratizar	11
arlar	1
armar	1
armiñar	1
armonizar	11
aromar	1
aromatizar	11
arpar	1
arpegiar	1
arponar	1
arponear	1
arquear	1
arracimarse	1
arraigar	7
arralar	1
arramblar	1
arrancar	4
arranchar	1
arrapar	1
arrasar	1
arrastrar	1
arrear	1
arrebañar	1
arrebatar	1
arrebolar	1
arrebozar	11
arrebujar	1
arrechuchar	1
arreciar	1
arrecirse	24
arredilar	1
arredondear	1
arredrar	1
arregazar	11
arreglar	1
arregostarse	1
arrejacar	4
arrejuntarse	1
arrellanarse	1
arremangar	7
arremeter	2
arremolinarse	1
arrendar	49
arrepanchigarse	7
arrepentirse	56
arrepistar	1
arrequesonarse	1
arrestar	1
arrezagar	7
arriar	18
arribar	1
arriesgar	7
arrimar	1
arrinconar	1
arriostrar	1
arriscar	4
arrobar	1
arrocinar	1
arrodillar	1
arrodrigar	7
arrogar	7
arrojar	1
arrollar	1
arromanzar	11
arromper	2
arronzar	11
arropar	1
arrostrar	1
arroyar	1
arruar	19
arrufar	1
arrugar	7
arruinar	1
arrullar	1
arrumar	1
arrumbar	1
arrusticar	4
artesonar	1
articular	1
artigar	7
artillar	1
aruñar	1
asacar	4
asaetar	1
asaetear	1
asainetear	1
asalariar	1
asaltar	1
asar	1
ascender	53
asear	1
asechar	1
asedar	1
asediar	1
asegurar	1
asemejar	1
asenderear	1
asentar	49
asentir	56
aserenar	1
aseriarse	1
aserrar	49
aserruchar	1
asesar	1
asesinar	1
asesorar	1
asestar	1
aseverar	1
asfaltar	1
asfixiar	1
asibilar	1
asignar	1
asilar	1
asimilar	1
asir	**67**
asistir	3
asnear	1

Verbo	Modelo
asobinarse	1
asociar	1
asolar [de *a* + *sol*]	1
asolar [de *suelo*]	36
asolear	1
asomar	1
asombrar	1
asonantar	1
asonar	36
asorocharse	1
aspar	1
aspaventar	49
asperear	1
aspergear	1
asperjar	1
aspirar	1
asquear	1
astillar	1
astreñir	35
astringir	16
asumir	3
asurar	1
asurcar	4
asustar	1
atabalear	1
atablar	1
atacar	4
atafagar	7
atajar	1
atalayar	1
ataludar	1
ataluzar	11
atañer	84
ataquizar	11
ataracear	1
atarantar	1
atarazar	11
atardecer	61
atarear	1
atarquinar	1
atarugar	7
atar	1
atascar	4
ataviar	18
atediar	1
atemorizar	11
atemperar	1
atenazar	11
atender	53
atenebrarse	1
atenerse	95
atentar ['cometer atentado']	1
atentar ['ir con tiento']	49
atenuar	19
aterciopelar	1
aterecer	61
aterir	24
aterrajar	1
aterrar [de *terror*]	1
aterrar [de *tierra*]	49
aterrizar	11
aterronar	1
aterrorizar	11
atesar	49
atesorar	1
atestar	49
atestiguar	9
atetar	1
atetillar	1
atezar	11
atibar	1
atiborrar	1
atiesar	1
atildar	1
atinar	1
atiplar	1
atirantar	1
atisbar	1
atizar	11
atizonar	1
atoar	1
atochar	1
atocinar	1
atollar	1
atolondrar	1
atomizar	11
atondar	36
atontar	1
atontolinar	1
atorar ['atascar']	1
atorar ['partir en tueros']	36
atormentar	1
atornillar	1
atorozonarse	1
atortolar	1
atortujar	1
atosigar	7
atrabancar	4
atracar	4
atraer	72
atrafagar	7
atragantarse	1
atraillar	20
atrampar	1
atrancar	4
atrapar	1
atrasar	1
atravesar	49
atrechar	1
atresnalar	1
atreverse	2
atribuir	70
atribular	1
atrincherar	1
atrochar	1
atrofiar	1
atronar	36
atronerar	1
atropar	1
atropellar	1
atufar	1
atumultuar	19
atuntunarse	1

aturar 1
aturdir 3
aturrullar 1
aturullar 1
atusar 1
auditar 1
augurar 1
aullar 21
aumentar 1
aunar 21
auñar 1
aupar 21
aureolar 1
auscultar 1
ausentar 1
auspiciar 1
autenticar 4
autentificar 4
autoabastecerse 61
autoafirmarse 1
autocalificarse 1
autocomplacerse 61
autodefinirse 3
autodenominarse 1
autodestruirse 3
autofinanciarse 1
autografiar 18
autoinculparse 1
autoinmolarse 1
autolesionarse 1
automatizar 11
autoproclamarse 1
autorizar 11
autorregularse 1
autosugestionarse 1
auxiliar 1
avahar 1
avalar 1
avalentar 49
avallar 1
avaluar 19
avanecerse 61
avanzar 11
avasallar 1
avecinarse 1
avecindar 1
avejentar 1
avejigar 7
avellanar 1
avenar 1
avenenar 1
avenir 96
aventajar 1
aventar 49
aventurar 1
averdugar 7
avergonzar 39
averiar 18
averiguar 9
averrugarse 7
avezar 11
aviar 18
aviciar 1
aviejar 1
avigorar 1
avilantarse 1
avillanar 1
avinagrar 1
avisar 1
avispar 1
avistar 1
avituallar 1
avivar 1
avizorar 1
avocar 4
axiomatizar 11
ayermar 1
ayudar 1
ayunar 1
azadonar 1
azafranar 1
azagar 7
azarandar 1
azarar 1
azarearse 1
azemar 1
azoar 1
azogar 7
azolar 36
azolvar 1
azorar 1
azorrarse 1
azotar 1
azucarar 1
azufrar 1
azular 1
azulear 1
azulejar 1
azumagarse 7
azurronarse 1
azuzar 11

B

babarse 1
babear 1
babosear 1
bachear 1
bachillerar 1
badajear 1
badulaquear 1
bagar 7
bailar 1
bailotear 1
bajar 1
balacear 1
baladrar 1
baladronear 1
balancear 1
balaquear 1
balar 1
balastar 1
balaustrar 1

balbucear	1
balbucir	62
balcanizar	11
baldar	1
baldear	1
baldonar	1
baldosar	1
balear	1
balitar	1
balitear	1
balizar	11
ballestear	1
balsear	1
bambalear	1
bambanear	1
bambolear	1
bambonear	1
bancar	4
bandarse	1
bandear	1
banderillear	1
banderizar	11
banquetear	1
bañar	1
baquear	1
baquelizar	11
baquetear	1
barajar	1
barajear	1
baratear	1
barbarizar	11
barbar	1
barbear	1
barbechar	1
barbotar	1
barbotear	1
barbullar	1
bardar	1
baremar	1
barloar	1
barloventear	1
barnizar	11
barranquear	1
barrar	1
barrear	1
barrenar	1
barrer	2
barretear	1
barritar	1
barruntar	1
bartolear	1
bartular	1
bartulear	1
barzonear	1
basar	1
bascular	1
basquear	1
bastantear	1
bastardear	1
bastar	1
bastear	1
bastillar	1
bastillear	1
bastimentar	1
bastionar	1
bastonear	1
basurear	1
batallar	1
batanar	1
batanear	1
batear	1
batir	3
batojar	1
bautizar	11
bazucar	4
beatificar	4
beber	2
beborrotear	1
becar	4
befar	1
bejuquear	1
beldar	49
bellaquear	1
bellotear	1
bemolar	1
bendecir	**88**
beneficiar	1
berlingar	7
berrear	1
besar	1
bestializarse	11
besucar	4
besuquear	1
bichar	1
bichear	1
bieldar	1
bienquerer	93
bienquistar	1
bienvivir	3
bifurcarse	4
bigardear	1
bigardonear	1
bildar	1
bilocarse	4
binar	1
biodegradar	1
biografiar	18
birlar	1
bisar	1
bisbisear	1
bisecar	4
bisegmentar	1
biselar	1
bitar	1
bizcar	4
bizcochar	1
bizmar	1
bizquear	1
blandear	1
blandir	24
blanquear	1
blanquecer	61
blasfemar	1
blasonar	1
blindar	1
blocar	4

blofear 1
bloquear 1
bobear 1
bobinar 1
bocear 1
bocelar 1
bocetar 1
bocezar 11
bochar 1
bocinar 1
bofarse 1
bogar 7
boicotear 1
bojar 1
bojear 1
bolacear 1
bolear 1
bollar 1
bolsear 1
bolsiquear 1
bombardear 1
bombear 1
bonificar 4
boquear 1
boquetear 1
borbollar 1
borbollear 1
borbollonear 1
borboritar 1
borbotar 1
borbotear 1
bordar 1
bordear 1
bordonear 1
bornear 1
borrachear 1
borrajear 1
borrar 1
borronear 1
bosquejar 1
bostezar 11
botar 1
boxear 1
boyar 1
boycotear 1
bracear 1
bramar 1
brandar 1
brasear 1
bravear 1
bravocear 1
bravuconear 1
brear 1
bregar 7
brescar 4
brezar 11
bribonear 1
brillar 1
brincar 4
brindar 1
briscar 4
brizar 11
brollar 1
bromar 1
bromear 1
broncear 1
bronquear 1
broquelarse 1
brotar 1
brozar 11
brujear 1
brujir 3
brujulear 1
brumar 1
bruñir 82
bruzar 11
bucear 1
bufar 1
bufonearse 1
buitrear 1
bullir 83
burbujear 1
burear 1
burilar 1
burlar 1
burocratizar 11
burrajear 1
buscar 4
buzar 11

C

cabalgar 7
cabalizar 11
caballear 1
cabecear 1
caber 76
cabestrar 1
cabestrear 1
cabildear 1
cablear 1
cablegrafiar 18
cabrahigar 8
cabrear 1
cabrillear 1
cabriolar 1
cabriolear 1
cacarear 1
cacear 1
cacharpearse 1
cachar 1
cachear 1
cachetear 1
cachifollar 1
cachipodar 1
cachondearse 1
cachuchear 1
cachurear 1
caciquear 1
caducar 4
caduquear 1
caer 73
cafetear 1
cagar 7
cairelar 1

calabacear	1	candar	1	carcajear	1
calafetear	1	canecerse	61	carcomer	2
calandrar	1	cangallar	1	cardar	1
calar	1	cangrenarse	1	carduzar	11
calaverear	1	canjear	1	carear	1
calcar	4	canonizar	11	**carecer**	**61**
calcetar	1	cansar	1	carenar	1
calcificar	4	cantalear	1	cargar	7
calcinar	1	cantaletear	1	cariar	1
calcografiar	18	**cantar**	**1**	caricaturar	1
calcular	1	cantear	1	caricaturizar	11
caldear	1	cantonar	1	carlear	1
calentar	49	cantonear	1	carmenar	1
calibrar	1	canturrear	1	carnear	1
calificar	4	canturriar	1	carnerear	1
caligrafiar	18	cañaverear	1	carnificarse	4
callar	1	cañonear	1	carochar	1
callear	1	capacitar	1	carpintear	1
callejear	1	capar	1	carpir	3
calmar	1	capear	1	carraspear	1
calofriarse	1	capialzar	11	carrerear	1
calumniar	1	capitalizar	11	carretear	1
calvar	1	capitanear	1	carrochar	1
calzar	11	capitular	1	carroñar	1
camandulear	1	caponar	1	carrozar	11
cambalachar	1	capotar	1	cartear	1
cambalachear	1	capotear	1	cartografiar	18
cambiar	1	capsular	1	casar	1
camelar	1	captar	1	cascabelear	1
caminar	1	capturar	1	cascamajar	1
camorrear	1	capujar	1	cascar	4
camotear	1	capuzar	11	caseificar	4
campanear	1	carabritear	1	castañetear	1
campanillear	1	caracolear	1	castellanizar	11
campar	1	caracterizar	11	castigar	7
campear	1	caramelizar	11	castrar	1
camuflar	1	caratular	1	catalizar	11
canalizar	11	carbonar	1	catalogar	7
cancanear	1	carbonatar	1	catapultar	1
cancelar	1	carbonear	1	catar	1
cancerar	1	carbonizar	11	catear	1
canchear	1	carburar	1	categorizar	11

catequizar	11
catitear	1
catolizar	11
catonizar	11
caucionar	1
causar	1
causticar	4
cautelar	1
cauterizar	11
cautivar	1
cavar	1
cavilar	1
cazar	11
cazcalear	1
cazoletear	1
cazumbrar	1
cazurrear	1
cebadar	1
cebar	1
cecear	1
cecinar	1
cedacear	1
ceder	2
cegar	51
cejar	1
celar	1
celebrar	1
cellisquear	1
cementar	1
cenar	1
cencerrear	1
cendrar	1
censar	1
censurar	1
centellar	1
centellear	1
centonar	1
centralizar	11
centrar	1
centrifugar	7
centuplicar	4
ceñir	35
cepillar	1
cercar	4
cercenar	1
cerchar	1
cerciorar	1
cerdear	1
cerner	53
cernir	55
cerotear	1
cerrar	49
cerrillar	1
certificar	4
cesar	1
chacanear	1
chacharear	1
chacolotear	1
chacotear	1
chafallar	1
chafarrinar	1
chafar	1
chaflanar	1
chalanear	1
chalar	1
chamarilear	1
chamar	1
chamelar	1
champar	1
champurrar	1
chamullar	1
chamurrar	1
chamuscar	4
chancar	4
chancear	1
chancletear	1
chanflear	1
changar	7
chantajear	1
chantar	1
chapalear	1
chapaletear	1
chaparrear	1
chapar	1
chapear	1
chapetear	1
chapinizarse	11
chapodar	1
chapotear	1
chapucear	1
chapurrar	1
chapurrear	1
chapuzar	11
chaquetear	1
charlar	1
charlatanear	1
charlear	1
charlotear	1
charolar	1
charranear	1
charrar	1
chascar	4
chasconear	1
chaspear	1
chasquear	1
chatarrear	1
chatear	1
chayar	1
chazar	11
checar	4
chequear	1
chicanear	1
chicharrar	1
chicharrear	1
chichear	1
chichinar	1
chicolear	1
chiflar	1
chilinguear	1
chillar	1
chinar	1
chinchar	1
chinchinear	1
chinchorrear	1
chindar	1
chinear	1

chingar	7	chungarse	7	ciscar	4
chinglar	1	chunguearse	1	citar	1
chiquear	1	chupar	1	civilizar	11
chiquitear	1	chuperretear	1	cizallar	1
chirigotear	1	chupetear	1	cizañar	1
chiripear	1	churrascar	4	cizañear	1
chirlar	1	churrasquear	1	clamar	1
chirrear	1	churrearse	1	clamorear	1
chirriar	18	churritar	1	clarear	1
chiscar	4	churruscar	4	clarecer	61
chismar	1	chusmear	1	clarificar	4
chismear	1	chutar	1	clasificar	4
chismorrear	1	chuzar	11	claudicar	4
chismotear	1	ciabogar	1	clausular	1
chisparse	1	ciar	18	clausurar	1
chispear	1	cicatear	1	clavar	1
chisporrotear	1	cicatrizar	11	clavetear	1
chistar	1	ciclar	1	clicar	1
chitar	1	ciclostilar	1	climatizar	11
chivarse	1	cifrar	1	clisar	1
chivatear	1	cilindrar	1	clisterizar	11
chocarrear	1	cimbrar	1	clocar	42
chocar	4	cimbrear	1	clonar	1
chochear	1	cimentar	49	cloquear	1
choclar	1	cincelar	1	clorar	1
chollar	1	cinchar	1	cloroformizar	11
chorar	1	cincunvalar	1	clorurar	1
chorear	1	cinematografiar	18	coaccionar	1
chorizar	11	cinescopar	1	coacervar	1
chorrear	1	cinglar	1	coadquirir	54
chospar	1	cintarear	1	coadunar	1
chotearse	1	cintar	1	coadyuvar	1
chozpar	1	cintilar	1	coagular	1
chubasquear	1	circuir	70	coaligar	7
chuchear	1	circular	1	coartar	1
chuchurrir	3	circuncidar	1	cobaltar	1
chufar	1	circundar	1	cobardear	1
chuflarse	1	circunferir	56	cobijar	1
chufletear	1	circunnavegar	7	cobrar	1
chulear	1	circunscribir	3	cobrear	1
chuletear	1	circunstanciar	1	cocear	1
chumarse	1	circunvolar	36	cocer	45

cochear	1
cocinar	1
codear	1
codiciar	1
codificar	4
codirigir	16
coercer	13
coexistir	3
coextenderse	53
coger	15
cogestionar	1
cogitar	1
cohabitar	1
cohechar	1
coheredar	1
cohibir	22
cohobar	1
cohonestar	1
coimear	1
coincidir	3
coitar	1
cojear	1
colaborar	1
colacionar	1
colapsar	1
colar	36
colchar	1
colear	1
coleccionar	1
colectar	1
colectivizar	11
colegiar	1
colegir	33
colgar	**40**
colicuar	1
colicuecer	61
colidir	3
coligar	7
colimar	1
colindar	1
colisionar	1
colmar	1
colmatar	1
colocar	4
colonizar	11
colorar	1
colorear	1
colorir	24
coludir	3
columbrar	1
columpiar	1
comadrear	1
comandar	1
comanditar	1
comarcar	4
combalacharse	1
combar	1
combatir	3
combinar	1
comedirse	32
comentar	1
comenzar	50
comercializar	11
comerciar	1
comer	2
cometer	2
cominear	1
comiquear	1
comisar	1
comiscar	4
comisionar	1
comisquear	1
compactar	1
compadecer	61
compadrar	1
compadrear	1
compaginar	1
comparar	1
comparecer	61
compartimentar	1
compartir	3
compasar	1
compasear	1
compatibilizar	11
compeler	2
compendiar	1
compenetrarse	1
compensar	1
competer	2
competir	32
compilar	1
complacer	61
complementar	1
completar	1
complicar	4
complotar	1
componer	66
comportar	1
comprar	1
comprehender	2
comprender	2
comprimir	3
comprobar	36
comprometer	2
compulsar	1
compungir	16
compurgar	7
computadorizar	11
computar	1
computerizar	11
comulgar	7
comunicar	4
concadenar	1
concatenar	1
concebir	32
conceder	2
concelebrar	1
concentrar	1
conceptualizar	11
conceptuar	19
concernir	55
concertar	49
conchabar	1
concienciar	1
conciliar	1
concitar	1

contrafallar	1	convocar	4	corsear	1
contrafirmar	1	convoyar	1	cortar	1
contrahacer	77	convulsionar	1	cortejar	1
contraindicar	4	coñearse	1	cortisquear	1
contramallar	1	cooperar	1	coruscar	4
contramandar	1	cooptar	1	corvetear	1
contramarcar	4	coordinar	1	coscarse	4
contramarchar	1	copar	1	cosechar	1
contraminar	1	copear	1	coser	2
contrapasar	1	copelar	1	cosificar	4
contrapear	1	copiar	1	cosquillar	1
contrapechar	1	copilar	1	cosquillear	1
contrapesar	1	copilotar	1	costalearse	1
contraponer	66	coplear	1	costar	36
contraprogramar	1	copresidir	3	costear	1
contrapuntear	1	coproducir	86	cotejar	1
contrapunzar	11	copular	1	cotillear	1
contrariar	18	coquetear	1	cotizar	11
contrarrestar	1	coquizar	11	cotorrear	1
contraseñar	1	corchar	1	craquear	1
contrastar	1	corcovar	1	crascitar	1
contratar	1	corcovear	1	crear	1
contratipar	1	corcusir	3	crecer	61
contravalar	1	cordelar	1	creer	17
contravenir	96	corear	1	crenchar	1
contribuir	70	coreografiar	18	creosotar	1
contristar	1	corlar	1	crepar	1
controlar	1	corlear	1	crepitar	1
controvertir	56	cornear	1	criar	18
contundir	3	coronar	1	cribar	1
conturbar	1	corporeizar	11	criminar	1
contusionar	1	corporificar	4	crinar	1
convalecer	61	correar	1	criogenizar	11
convalidar	1	corregir	33	crisolar	1
convencer	13	correlacionar	1	crispar	1
convenir	96	correr	2	cristalizar	11
converger	15	corresponder	2	cristianar	1
convergir	16	corretear	1	cristianizar	11
conversar	1	corroborar	1	criticar	4
convertir	56	corroer	69	critiquizar	11
convidar	1	corromper	2	croar	1
convivir	3	corrugar	7	crocitar	1

Verbo	Modelo
cromar	1
cromolitografiar	18
cronometrar	1
croscitar	1
crotorar	1
crucificar	4
crujir	3
cruzar	11
cuadrar	1
cuadricular	1
cuadriplicar	4
cuadruplicar	4
cuajar	1
cualificar	4
cuantiar	18
cuantificar	4
cuartar	1
cuartear	1
cuartelar	1
cuatrodoblar	1
cuatropear	1
cubanizar	11
cubicar	4
cubijar	1
cubilar	1
cubiletear	1
cubrir	26
cucar	4
cucharear	1
cucharetear	1
cuchichear	1
cuchichiar	18
cuchuchear	1
cuchufletear	1
cuculistearse	1
cuentear	1
cuerear	1
cuerpear	1
cuestionar	1
cuidar	1
culear	1
culebrear	1
culminar	1
culpabilizar	11
culpar	1
cultiparlar	1
cultivar	1
culturar	1
culturizar	11
cumplimentar	1
cumplir	3
cumular	1
cunar	1
cundir	3
cunear	1
curar	1
curiosear	1
currar	1
currelar	1
cursar	1
curtir	3
curucutear	1
curvar	1
curvear	1
cuscurrear	1
cusir	3
custodiar	1
cutir	3

D

Verbo	Modelo
dactilografiar	18
daguerrotipar	1
dallar	1
damasquinar	1
damnificar	4
danzar	11
dañar	1
dar	**75**
datar	1
davalar	1
deambular	1
debatir	3
debelar	1
deber	2
debilitar	1
debitar	1
debocar	4
debutar	1
decaer	73
decalvar	1
decampar	1
decantar	1
decapar	1
decapitar	1
decelerar	1
decentar	49
decepcionar	1
decidir	3
decimalizar	11
decir	**87**
declamar	1
declarar	1
declinar	1
decodificar	4
decolorar	1
decomisar	1
decorar	1
decorticar	4
decrecer	61
decrepitar	1
decretar	1
decuplicar	4
dedicar	4
dedolar	36
deducir	86
defalcar	4
defecar	4
defeccionar	1
defender	53
defenestrar	1
deferir	56
definir	3
deflacionar	1
deflagrar	1

deflegmar	1
defoliar	1
deforestar	1
deformar	1
defraudar	1
degenerar	1
deglutir	3
degollar	36
degradar	1
degustar	1
dehesar	1
deificar	4
dejar	1
delatar	1
delegar	7
deleitar	1
deletrear	1
deleznarse	1
deliberar	1
delimitar	1
delinear	1
delinquir	**6**
delirar	1
deludir	3
demacrar	1
demandar	1
demarcar	4
demarrar	1
demasiarse	18
demediar	1
dementar	49
democratizar	11
demodular	1
demoler	43
demonizar	11
demorar	1
demostrar	36
demudar	1
denegar	51
denegrecer	61
denegrir	24
denguear	1
denigrar	1
denodarse	1
denominar	1
denostar	36
denotar	1
densificar	4
dentalizar	11
dentar	49
dentellar	1
dentellear	1
denudar	1
denunciar	1
deparar	1
departir	3
depauperar	1
depauperizar	11
depender	2
depilar	1
deplorar	1
deponer	66
deportar	1
depositar	1
depravar	1
deprecar	4
depreciar	1
depredar	1
deprimir	3
depurar	1
deputar	1
derechizar	11
derivar	1
derogar	7
derrabar	1
derramar	1
derrapar	1
derrelinquir	6
derrenegar	51
derrengar	7
derretir	32
derribar	1
derrocar	4
derrochar	1
derrotar	1
derrubiar	1
derruir	70
derrumbar	1
desabarrancar	4
desabastecer	61
desabejar	1
desabollar	1
desabonarse	1
desabordarse	1
desabotonar	1
desabrigar	7
desabrir	24
desabrochar	1
desacalorarse	1
desacantonar	1
desacatar	1
desacedar	1
desaceitar	1
desacelerar	1
desacerar	1
desacerbar	1
desacertar	49
desachispar	1
desacidificar	4
desaclimatar	1
desacobardar	1
desacomodar	1
desacompañar	1
desaconsejar	1
desacoplar	1
desacordar	36
desacorralar	1
desacostumbrar	1
desacotar	1
desacralizar	11
desacreditar	1
desactivar	1
desacuartelar	1
desaderezar	11
desadeudar	1
desadorar	1

desadormecer 61
desadornar 1
desadujar 1
desadvertir 56
desafectar 1
desaferrar 49
desafiar 18
desaficionar 1
desafilar 1
desafinar 1
desaforar 36
desaforrar 1
desagarrar 1
desagraciar 1
desagradar 1
desagradecer 61
desagraviar 1
desagregar 7
desaguar 9
desaguazar 11
desaherrojar 1
desahijar 20
desahitarse 20
desahogar 7
desahuciar 1
desahumar 21
desainar 1
desairar 20
desaislarse 20
desajustar 1
desalabar 1
desalabear 1
desalagar 7
desalar 1
desalbardar 1
desalentar 49
desalfombrar 1
desalforjar 1
desalhajar 1
desalinear 1
desalinizar 11
desaliñar 1
desalivar 1
desalmar 1
desalmenar 1
desalmidonar 1
desalojar 1
desalquilar 1
desalterar 1
desamarrar 1
desamartelar 1
desambientar 1
desambiguar 1
desamistarse 1
desamoblar 36
desamoldar 1
desamontonar 1
desamorar 1
desamorrar 1
desamortizar 11
desamotinarse 1
desamparar 1
desamueblar 1
desamurar 1
desanclar 1
desancorar 1
desandar 85
desangrar 1
desanidar 1
desanimar 1
desanublar 1
desanudar 1
desaojar 1
desapadrinar 1
desapañar 1
desaparear 1
desaparecer 61
desaparejar 1
desaparroquiar 1
desapartar 1
desapasionar 1
desapegar 7
desapestar 1
desapiolar 36
desaplicar 4
desaplomar 1
desapoderar 1
desapolillar 1
desaporcar 42
desaposentar 1
desapoyar 1
desapreciar 1
desaprender 2
desaprestar 1
desapretar 49
desaprisionar 1
desaprobar 36
desapropiar 1
desaprovechar 1
desapuntalar 1
desapuntar 1
desarbolar 1
desarenar 1
desargentar 1
desarmar 1
desarmonizar 11
desaromatizar 11
desarraigar 7
desarrancarse 4
desarrebozar 11
desarrebujar 1
desarreglar 1
desarrendar 49
desarrimar 1
desarrinconar 1
desarrollar 1
desarropar 1
desarrugar 7
desarrumar 1
desarticular 1
desartillar 1
desarzonar 1
desasear 1
desasegurar 1
desasimilar 1
desasir 67

desasistir	3	desbalagar	7	descabezar	11
desasnar	1	desbancar	4	descabritar	1
desasociar	1	desbandarse	1	descabullirse	83
desasosegar	49	desbarajustar	1	descachalandrarse	1
desastillar	1	desbaratar	1	descacharrar	1
desatacar	4	desbarbar	1	descachar	1
desatancar	4	desbarbillar	1	descacilar	1
desatar	1	desbardar	1	descaderar	1
desatascar	4	desbarnizar	11	descadillar	1
desataviar	18	desbarrar	1	descaer	73
desatender	53	desbarretar	1	descafeinar	20
desatentar	49	desbarrigar	7	descafilar	1
desaterrar	49	desbastar	1	descalabazarse	11
desatesorar	1	desbautizarse	11	descalabrar	1
desatestarse	1	desbeber	2	descalcar	4
desatibar	1	desbecerrar	1	descalcificar	4
desatinar	1	desbloquear	1	descalificar	4
desatollar	1	desbocar	4	descalzar	11
desatolondrar	1	desbonetarse	1	descamar	1
desatontarse	1	desboquillar	1	descambiar	1
desatorar	1	desbordar	1	descaminar	1
desatornillar	1	desbornizar	11	descampar	1
desatracar	4	desboronar	1	descangallar	1
desatraillar	20	desborrar	1	descangayar	1
desatrampar	1	desboscar	4	descansar	1
desatrancar	4	desbotonar	1	descantar	1
desatufarse	1	desbravar	1	descantear	1
desaturdir	3	desbravecer	61	descanterar	1
desautorizar	11	desbrazarse	1	descantillar	1
desavahar	1	desbrevarse	1	descantonar	1
desavecindarse	1	desbridar	1	descañar	1
desavenir	96	desbriznar	1	descañonar	1
desaviar	18	desbrozar	11	descaperuzar	11
desavisar	1	desbruar	19	descapirotar	1
desayudar	1	desbrujar	1	descapitalizar	11
desayunar	1	desbuchar	1	descapotar	1
desayustar	1	desbullar	1	descapullar	1
desazogar	7	desburocratizar	11	descarapelar	1
desazonar	1	descabalar	1	descararse	1
desazufrar	1	descabalgar	7	descarbonatar	1
desbabar	1	descabellar	1	descarburar	1
desbagar	7	descabestrar	1	descarcañalar	1

descargar	7
descarnar	1
descarozar	11
descarriar	18
descarrilar	1
descarrillar	1
descartar	1
descasar	1
descascarar	1
descascarillar	1
descascar	4
descaspar	1
descastar	1
descatolizar	11
descebar	1
descender	53
descentralizar	11
descentrar	1
desceñir	35
descepar	1
descerar	1
descercar	4
descerebelarse	1
descerebrar	1
descerezar	11
descerrajar	1
descerrumarse	1
descervigar	7
deschapar	1
descharchar	1
deschavetarse	1
deschuponar	1
descifrar	1
descimbrar	1
descimentar	49
descinchar	1
descintrar	1
desclasarse	1
desclavar	1
desclavijar	1
descoagular	1
descobajar	1
descobijar	1
descocar	4
descodificar	4
descoger	15
descogollar	1
descogotar	1
descohesionar	1
descojonar	1
descolar	1
descolchar	1
descolgar	40
descollar	36
descolmar	1
descolmillar	1
descolocar	4
descolonizar	11
descolorar	1
descolorir	24
descombrar	1
descomedirse	32
descomer	2
descompadrar	1
descompaginar	1
descompasar	1
descompensar	1
descomponer	66
descomprimir	3
descomulgar	7
desconcentrar	1
desconceptuar	19
desconcertar	49
desconchabar	1
desconchar	1
descondicionar	1
desconectar	1
desconfiar	18
desconformar	1
descongelar	1
descongestionar	1
descongojar	1
desconocer	61
desconsentir	56
desconsiderar	1
desconsolar	36
descontagiar	1
descontaminar	1
descontar	36
descontentar	1
descontextualizar	11
descontinuar	19
descontrolar	1
desconvenir	96
desconvidar	1
desconvocar	4
descorazonar	1
descorchar	1
descordar	36
descorderar	1
descoritar	1
descornar	36
descoronar	1
descorrear	1
descorrer	2
descortezar	11
descortinar	1
descoser	2
descostillar	1
descostrar	1
descotar	1
descoyuntar	1
descrecer	61
descreer	17
descremar	1
descrestar	1
describir	28
descrismar	1
descristianar	1
descristianizar	11
descrúdecer	2
descruzar	11
descuadernar	1
descuadrillarse	1
descuajaringar	7
descuajar	1

descuajeringar	1
descuartizar	11
descubrir	3
descuerar	1
descuernar	1
descuidar	1
descular	1
desculatarse	1
descurtir	3
desdar	75
desdecir	89
desdeñar	1
desdevanar	1
desdibujar	1
desdinerar	1
desdoblar	1
desdorar	1
desdramatizar	11
desear	1
desecar	4
desechar	1
desedificar	4
deseducar	4
deselectrizar	11
desellar	1
desembalar	1
desembaldosar	1
desemballestar	1
desembalsar	1
desembanastar	1
desembarazar	11
desembarcar	4
desembargar	7
desembarrancar	4
desembarrar	1
desembaular	21
desembebecerse	61
desembelesarse	1
desembocar	4
desembojar	1
desembolsar	1
desemborrachar	1
desemboscarse	4
desembotar	1
desembozar	11
desembragar	7
desembravecer	61
desembrazar	11
desembriagar	7
desembridar	1
desembrollar	1
desembrozar	11
desembrujar	1
desembuchar	1
desemejar	1
desempacar	4
desempachar	1
desempadronar	1
desempalagar	7
desempalmar	1
desempañar	1
desempapelar	1
desempaquetar	1
desemparejar	1
desemparvar	1
desempastar	1
desempastelar	1
desempatar	1
desempavonar	1
desempedrar	49
desempegar	7
desempeñar	1
desemperezar	11
desempernar	1
desempolvar	1
desemponzoñar	1
desempotrar	1
desempozar	11
desempuñar	1
desemulsionar	1
desenalbardar	1
desenamorar	1
desenastar	1
desencabalgar	7
desencabestrar	1
desencadenar	1
desencajar	1
desencajonar	1
desencalabrinar	1
desencalcar	4
desencallar	1
desencaminar	1
desencantarar	1
desencantar	1
desencapillar	1
desencapotar	1
desencaprichar	1
desencarcelar	1
desencargar	7
desencarnar	1
desencarpetar	1
desencartonar	1
desencastillar	1
desencerrar	49
desenchuecar	1
desenchufar	1
desencintar	1
desenclavar	1
desenclavijar	1
desencobrar	1
desencochar	1
desencofrar	1
desencoger	15
desencolar	1
desencolerizar	11
desenconar	1
desencordar	36
desencordelar	1
desencorvar	1
desencovar	36
desencrespar	1
desencrudecer	2
desencuadernar	1
desencubar	1
desendemoniar	1

desendiablar	1
desendiosar	1
desenfadar	1
desenfaldar	1
desenfardar	1
desenfilar	1
desenfocar	4
desenfrailar	1
desenfrenar	1
desenfundar	1
desenfurecer	61
desenfurruñar	1
desenganchar	1
desengañar	1
desengañilar	1
desengarzar	11
desengastar	1
desengomar	1
desengoznar	1
desengranar	1
desengrasar	1
desengrilletar	1
desengrosar	1
desengrudar	1
desenguantarse	1
desenhebrar	1
desenhornar	1
desenjaezar	11
desenjalmar	1
desenjaular	1
desenladrillar	1
desenlazar	11
desenlodar	1
desenlosar	1
desenlutar	1
desenmallar	1
desenmarañar	1
desenmascarar	1
desenmohecer	61
desenmudecer	61
desenojar	1
desenredar	1
desenrizar	11
desenrollar	1
desenroscar	4
desenrudecer	61
desensamblar	1
desensañar	1
desensartar	1
desensebar	1
desenseñar	1
desensillar	1
desensober-becer	61
desentablar	1
desentalingar	7
desentarimar	1
desentenderse	53
desenterrar	49
desentoldar	1
desentonar	1
desentornillar	1
desentorpecer	61
desentrampar	1
desentrañar	1
desentrenar	1
desentronizar	11
desentubar	1
desentumecer	61
desenvainar	1
desenvelejar	1
desenvendar	1
desenvergar	7
desenviolar	1
desenvolver	46
desenzarzar	11
desenzolvar	1
desequilibrar	1
desertar	1
desertizar	11
desescombrar	1
desescoriar	1
deseslabonar	1
desespaldar	1
desespañolizar	11
desesperanzar	11
desesperar	1
desestabilizar	11
desestancar	4
desestañar	1
desesterar	1
desestibar	1
desestimar	1
desestructurar	1
desfajar	1
desfalcar	4
desfallecer	61
desfasar	1
desfavorecer	61
desfibrar	1
desfigurar	1
desfilachar	1
desfilar	1
desflecar	4
desflemar	1
desflorar	1
desfogar	7
desfogonar	1
desfollonar	1
desfondar	1
desforestar	1
desformar	1
desforrar	1
desfortalecer	61
desfortificar	4
desfosfatar	1
desfosforar	1
desfruncir	14
desgajar	1
desgalgar	7
desgalillarse	1
desgalonar	1
desganar	1
desganchar	1
desgañifarse	1
desgañitarse	1

desgargantarse	1
desgargolar	1
desgaritar	1
desgarrar	1
desgasificar	4
desgasolinar	1
desgastar	1
desgatar	1
desgaznatarse	1
desglosar	1
desgobernar	49
desgomar	1
desgonzar	1
desgorrarse	1
desgoznar	1
desgraciar	1
desgramar	1
desgranar	1
desgranzar	11
desgrasar	1
desgravar	1
desgreñar	1
desguarnecer	61
desguarnir	24
desguazar	11
desguindar	1
desguinzar	11
deshabitar	1
deshabituar	19
deshacer	77
deshalogenar	1
deshebillar	1
deshebrar	1
deshechizar	11
deshelar	49
desherbar	49
desheredar	1
deshermanar	1
desherrar	49
desherrumbrar	1
deshidratar	1
deshidrogenar	1
deshijar	1
deshilachar	1
deshilar	1
deshilvanar	1
deshincar	4
deshinchar	1
deshipotecar	4
deshojar	1
deshollejar	1
deshollinar	1
deshonestarse	1
deshonorar	1
deshonrar	1
deshornar	1
deshuesar	1
deshuevarse	1
deshumanizar	11
deshumedecer	61
deshumidificar	4
designar	1
desigualar	1
desilusionar	1
desimaginar	1
desimanar	1
desimantar	1
desimponer	66
desimpresionar	1
desincentivar	1
desinclinar	1
desincorporar	1
desincronizar	11
desincrustar	1
desindexar	1
desindustrializar	11
desinfartar	1
desinfectar	1
desinflamar	1
desinflar	1
desinformar	1
desinhibir	3
desinsacular	1
desinsectar	1
desinsertar	1
desintegrar	1
desinteresarse	1
desintoxicar	4
desinvernar	49
desiquiatrizar	11
desistir	3
desjarretar	1
desjugar	7
desjuntar	1
deslabonar	1
desladrillar	1
deslamar	1
deslanar	1
deslastrar	1
deslatar	1
deslateralizar	11
deslavar	1
deslavazar	11
deslazar	11
deslechugar	7
deslegalizar	11
deslegitimar	1
desleír	80
deslendrar	49
deslenguar	9
desliar	18
desligar	7
deslindar	1
desliñar	1
deslizar	11
desloar	1
deslomar	1
deslucir	62
deslumbrar	1
deslustrar	1
desmadejar	1
desmadrar	1
desmagnetizar	11
desmajolar	36
desmalezar	11
desmallar	1

desmamar	1	desmontar	1	desoprimir	3
desmamonar	1	desmoñar	1	desorbitar	1
desmanarse	1	desmoralizar	11	desordenar	1
desmanchar	1	desmorecerse	61	desorejar	1
desmandar	1	desmoronar	1	desorganizar	11
desmanear	1	desmostarse	1	desorientar	1
desmangar	7	desmotar	1	desorillar	1
desmantecar	4	desmotivar	1	desornamentar	1
desmantelar	1	desmovilizar	11	desortijar	1
desmañanarse	1	desmugrar	1	**desosar**	**37**
desmaquillar	1	desmullir	83	desosegar	7
desmarañar	1	desmultiplicar	4	desovar	1
desmarcar	4	desnacionalizar	11	desovillar	1
desmarojar	1	desnarigar	7	desoxidar	1
desmasificar	1	desnatar	1	desoxigenar	1
desmatar	1	desnaturalizar	11	despabilar	1
desmayar	1	desnegar	51	despachar	1
desmedirse	32	desnervar	1	despachurrar	1
desmedrar	1	desnevar	49	despajar	1
desmejorar	1	desnicotizar	11	despaldar	1
desmelancolizar	11	desnitrificar	4	despaldillar	1
desmelar	49	desnivelar	1	despaletillar	1
desmelenar	1	desnortarse	1	despalillar	1
desmembrar	49	desnucar	4	despalmar	1
desmemoriarse	1	desnuclearizar	11	despampanar	1
desmenguar	9	desnudar	1	despampanillar	1
desmentir	56	desnutrirse	3	despamplonar	1
desmenuzar	11	desobedecer	61	despancar	4
desmeollar	1	desobstruir	70	despanchurrar	1
desmerecer	61	desocupar	1	despanzurrar	1
desmesurar	1	desodorar	1	despapar	1
desmigajar	1	desodorizar	11	desparasitar	1
desmigar	7	desoír	68	desparedar	1
desmilitarizar	11	desojar	1	desparejar	1
desmineralizarse	11	desolar	36	desparpajar	1
desmitificar	4	desolazar	11	desparramar	1
desmochar	1	desoldar	36	desparrancarse	4
desmogar	7	desolidarizarse	11	despartir	3
desmoldar	1	desollar	36	desparvar	1
desmoler	43	desonzar	11	despasar	1
desmonetizar	11	desopilar	1	despatarrar	1
desmonopolizar	11	desopinar	1	despatillar	1

despavesar	1
despavonar	1
despavorir	24
despearse	1
despechar	1
despechugar	7
despedazar	11
despedir	32
despedrar	49
despedregar	7
despegar	7
despeinar	1
despejar	1
despellejar	1
despelotar	1
despelucar	4
despeluzar	11
despeluznar	1
despenalizar	11
despenar	1
despender	2
despendolar	1
despenolar	1
despeñar	1
despepitar	1
despercudir	3
desperdiciar	1
desperdigar	7
desperecerse	61
desperezarse	11
desperfilar	1
despernancarse	4
despernar	49
despersonalizar	11
despertar	49
despescar	4
despestañar	1
despezar	50
despezonar	1
despezuñarse	1
despicar	4
despichar	1
despiezar	11
despilarar	1
despilfarrar	1
despimpollar	1
despinochar	1
despintar	1
despinzar	11
despiojar	1
despistar	1
desplacer	61
desplanchar	1
desplantar	1
desplatar	1
desplatear	1
desplayar	1
desplazar	11
desplegar	51
despleguetear	1
desplomar	1
desplumar	1
despoblar	36
despoetizar	11
despojar	1
despolarizar	11
despolitizar	11
despolvar	1
despolvorear	1
despopularizar	11
desporrondingarse	7
desportillar	1
desposar	1
desposeer	17
despostar	1
despostillar	1
despotizar	11
despotricar	4
despreciar	1
desprender	2
despreocuparse	1
despresar	1
desprestigiar	1
despresurizar	11
desprivatizar	11
desprogramar	1
desproporcionar	1
desproveer	30
despulmonarse	1
despulpar	1
despulsar	1
despumar	1
despuntar	1
desquejar	1
desquerer	93
desquiciar	1
desquijarar	1
desquijerar	1
desquitar	1
desrabotar	1
desraizar	12
desramar	1
desraspar	1
desrastrojar	1
desratizar	11
desrayar	1
desreglar	1
desrelingar	7
desrielar	1
desriñonar	1
desrizar	11
desroblar	1
desrodrigar	7
destacar	4
destachonar	1
destaconar	1
destajar	1
destallar	1
destalonar	1
destapar	1
destapiar	1
destaponar	1
destarar	1
destazar	11
destechar	1

destejar 1
destejer 2
destellar 1
destemplar 1
destensar 1
desteñir 35
desternillarse 1
desterrar 49
desterronar 1
destetar 1
destetillar 1
destilar 1
destinar 1
destituir 70
destocar 4
destoconar 1
destorcer 45
destorgar 7
destornillar 1
destorpar 1
destoserse 2
destrabar 1
destramar 1
destrejar 1
destrempar 1
destrenzar 11
destrincar 4
destripar 1
destriunfar 1
destrizar 11
destrocar 42
destronar 1
destroncar 4
destrozar 11
destruir 70
destusar 1
desubicar 4
desubstanciar 1
desucar 4
desudar 1
desuerar 1
desulfurar 1
desuncir 14
desunir 3
desuñar 1
desurbanizar 11
desurcar 4
desurdir 3
desusar 1
desustanciar 1
desvahar 1
desvainar 1
desvaírse 25
desvalijar 1
desvalorar 1
desvalorizar 11
desvanecer 61
desvarar 1
desvariar 18
desvastigar 7
desvedar 1
desvelar 1
desvenar 1
desvencijar 1
desvendar 1
desventar 49
desvergonzarse 39
desvestir 32
desviar 18
desviejar 1
desvincular 1
desvirar 1
desvirgar 7
desvirtuar 19
desvitrificar 4
desvivirse 3
desvolver 46
desyemar 1
desyerbar 1
desyugar 7
deszafrar 1
deszocar 4
deszulacar 4
deszumar 1
detallar 1
detectar 1
detener 95
detentar 1
deterger 15
deteriorar 1
determinar 1
detestar 1
detonar 1
detraer 72
deturpar 1
devalar 1
devaluar 19
devanar 1
devanear 1
devastar 1
develar 1
devengar 7
devenir 96
devolver 46
devorar 1
dezmar 49
diablear 1
diaconar 1
diafanizar 11
diafragmar 1
diagnosticar 4
diagramar 1
dializar 11
dialogar 7
diamantar 1
diazoar 1
dibujar 1
dictaminar 1
dictar 1
dietar 1
diezmar 1
difamar 1
diferenciar 1
diferir 56
dificultar 1
difluir 70

difractar	1
difuminar	1
difundir	3
digerir	56
digitalizar	11
dignarse	1
dignificar	4
dilacerar	1
dilapidar	1
dilatar	1
diligenciar	1
dilucidar	1
diluir	70
diluviar	1
dimanar	1
dimensionar	1
diminuir	70
dimitir	3
dinamitar	1
dinamizar	11
dintelar	1
diñar	1
diplomar	1
diptongar	7
diputar	1
diquelar	1
dirigir	**16**
dirimir	3
discantar	1
discernir	**55**
disciplinar	1
discontinuar	19
disconvenir	96
discordar	36
discrepar	1
discretear	1
discriminar	1
disculpar	1
discurrir	3
discursear	1
discutir	3
disecar	4
diseminar	1
disentir	56
diseñar	1
disertar	1
disfamar	1
disformar	1
disfrazar	11
disfrutar	1
disfumar	1
disgregar	7
disgustar	1
disidir	3
disimilar	1
disimular	1
disipar	1
dislacerar	1
dislocar	4
disminuir	70
disociar	1
disolver	46
disonar	36
disparar	1
disparatar	1
dispensar	1
dispersar	1
displacer	61
disponer	66
disputar	1
distanciar	1
distar	1
distender	53
distinguir	**10**
distorsionar	1
distraer	72
distribuir	70
disturbar	1
disuadir	3
divagar	7
divergir	16
diversificar	4
divertir	56
dividir	3
divinizar	11
divisar	1
divorciar	1
divulgar	7
dobladillar	1
doblar	1
doblegar	7
docilitar	1
doctorar	1
doctrinar	1
documentar	1
dogmatizar	11
dolar	36
doler	43
domar	1
domeñar	1
domesticar	4
domiciliar	1
dominar	1
donar	1
doñear	1
dopar	1
dorar	1
dormir	**47**
dormitar	1
dosificar	4
dotar	1
dovelar	1
dragar	7
dragonear	1
dramatizar	11
drapear	1
drenar	1
driblar	1
drogar	7
dropar	1
duchar	1
dudar	1
dulcificar	4
dulzurar	1
duplicar	4
durar	1

E

echacorvear	1
echar	1
eclesiastizar	11
eclipsar	1
ecologizar	11
economizar	11
ecualizar	11
edificar	4
editar	1
edrar	1
educar	4
educir	86
edulcorar	1
efectuar	19
efigiar	1
eflorecerse	61
efluir	70
efundir	3
egresar	1
ejecutar	1
ejecutoriar	18
ejemplarizar	11
ejemplar	1
ejemplificar	4
ejercer	13
ejercitar	1
elaborar	1
electrificar	4
electrizar	11
electrocutar	1
electrolizar	11
elegantizar	11
elegir	33
elevar	1
elidir	3
elijar	1
eliminar	1
elogiar	1
elucidar	1
elucubrar	1
eludir	3
emanar	1
emancipar	1
emascular	1
embachar	1
embadurnar	1
embaír	**25**
embalar	1
embaldosar	1
emballenar	1
emballestarse	1
embalsamar	1
embalsar	1
embalumar	1
embanastar	1
embancarse	4
embanderar	1
embanquetar	1
embarazar	11
embarbar	1
embarbascar	4
embarbecer	61
embarbillar	1
embarcar	4
embardar	1
embargar	7
embarnizar	11
embarrancar	4
embarrar	1
embarriar	1
embarrilar	1
embarrizarse	11
embarrotar	1
embarullar	1
embastar	1
embastecer	61
embaucar	4
embaular	21
embazar	11
embebecer	61
embeber	2
embejucar	4
embelecar	4
embeleñar	1
embelesar	1
embellaquecerse	61
embellecer	61
embeodar	1
embermejecer	61
emberrincharse	1
embestir	32
embetunar	1
embicar	4
embijar	1
embizcar	4
emblandecer	61
emblanquecer	61
embobar	1
embobecer	61
embocar	4
embochinchar	1
embodegar	7
embojar	1
embolar	1
embolatar	1
embolismar	1
embolsar	1
embonar	1
emboñigar	7
emboquillar	1
emborrachar	1
emborrar	1
emborrascar	4
emborrazar	11
emborricarse	4
emborrizar	11
emborronar	1
emborrullarse	1
emborucarse	1
emboscar	4
embosquecer	61
embostar	1
embotar	1
embotellar	1

emboticar	4
embotijar	1
embovedar	1
embozalar	1
embozar	11
embragar	7
embravecer	61
embrazar	11
embrear	1
embregarse	7
embreñarse	1
embriagar	7
embridar	1
embrocar	4
embrochalar	1
embrollar	1
embromar	1
embroncarse	4
embroquelarse	1
embroquetar	1
embrujar	1
embrutecer	61
embuchar	1
embudar	1
embullar	1
emburujar	1
embustear	1
embutir	3
emerger	15
emigrar	1
emitir	3
emocionar	1
emolir	3
empacar	4
empachar	1
empadrarse	1
empadronar	1
empajar	1
empajolar	36
empalagar	7
empalar	1
empalicar	4
empalidecer	61
empalizar	11
empalmar	1
empalomar	1
empamparse	1
empanar	1
empandar	1
empandillar	1
empanizar	11
empantanar	1
empañar	1
empañetar	1
empañicar	4
empapar	1
empapelar	1
empapirotar	1
empapuciar	1
empapuzar	1
empaquetar	1
emparamar	1
emparamentar	1
emparchar	1
empardar	1
emparedar	1
emparejar	1
emparentar	49
emparrar	1
emparrillar	1
emparvar	1
empastar	1
empastelar	1
empatar	1
empatillar	1
empatronar	1
empavesar	1
empavonar	1
empecer	61
empecinar	1
empedar	1
empedernir	24
empedrar	49
empegar	7
empeguntar	1
empelar	1
empelazgarse	7
empelechar	1
empellar	1
empellejar	1
empeller	84
empelotarse	1
empenachar	1
empentar	1
empeñar	1
empeorar	1
empequeñecer	61
emperchar	1
empercudir	3
emperejilar	1
emperezar	11
empergaminar	1
empericarse	4
emperifollar	1
empernar	1
emperrarse	1
empesgar	7
empestillarse	1
empetatar	1
empezar	**50**
empicarse	4
empicotar	1
empilar	1
empilchar	1
empiltrarse	1
empiluchar	1
empinar	1
empingorotar	1
empiojarse	1
empitonar	1
empizarrar	1
emplantillar	1
emplastar	1
emplastecer	61
emplazar	11
emplear	1

emplomar	1	enalbar	1	encalillarse	1
emplumar	1	enalmagrar	1	encallar	1
emplumecer	61	enaltecer	61	encallecer	61
empobrecer	61	enamarillecer	2	encallejonar	1
empoderar	1	enamorar	1	encalmar	1
empodrecer	61	enamoriscarse	4	encalomar	1
empollar	1	enancarse	1	encalostrarse	1
empoltronecerse	61	enanchar	1	encalvecer	61
empolvar	1	enangostar	1	encamarar	1
emponcharse	1	enarbolar	1	encamar	1
emponzoñar	1	enarcar	4	encambijar	1
empopar	1	enardecer	61	encambrar	1
emporcar	42	enarenar	1	encambronar	1
emporrar	1	enarmonar	1	encaminar	1
empotrar	1	enartar	1	encamisar	1
empotrerar	1	enastar	1	encamotarse	1
empozar	11	enastilar	1	encampanar	1
empradizar	11	encabalgar	7	encanalar	1
emprender	2	encaballar	1	encanalizar	11
empreñar	1	encabar	1	encanallar	1
empretecer	61	encabellecerse	61	encanarse	1
emprimar	1	encabestrar	1	encanastar	1
empringar	7	encabezar	11	encancerarse	1
empuchar	1	encabezonarse	1	encandecer	61
empuercar	4	encabillar	1	encandelar	1
empujar	1	encabrahigar	8	encandelillar	1
empulgar	7	encabriar	1	encandilar	1
empuntar	1	encabrillar	1	encanecer	61
empuñar	1	encabritarse	1	encanijar	1
empurar	1	encabronar	1	encanillar	1
empurpurar	1	encabuyar	1	encantarar	1
empurrarse	1	encachar	1	encantar	1
emputecer	61	encadenar	1	encantusar	1
emular	1	encajar	1	encanutar	1
emulsionar	1	encajerarse	1	encañamar	1
enaceitar	1	encajetillar	1	encañar	1
enacerar	1	encajonar	1	encañizar	11
enaguachar	1	encalabozar	11	encañonar	1
enaguar	9	encalabrinar	1	encapachar	1
enaguazar	11	encalambrarse	1	encapar	1
enajenar	1	encalamocar	4	encapazar	11
enalbardar	1	encalar	1	encaperuzar	11

encapillar	1
encapirotar	1
encapotar	1
encapricharse	1
encapsular	1
encapuchar	1
encapuzar	11
encaramar	1
encarar	1
encaratularse	1
encarcavinar	1
encarcelar	1
encarecer	61
encargar	7
encariñar	1
encarnar	1
encarnecer	61
encarnizar	11
encarpetar	1
encarrerarse	1
encarrilar	1
encarroñar	1
encarrujarse	1
encartar	1
encartonar	1
encartuchar	1
encasar	1
encascabelar	1
encascar	4
encascotar	1
encasillar	1
encasquetar	1
encasquillar	1
encastillar	1
encastrar	1
encatusar	1
encauchar	1
encausar	1
encauzar	11
encavarse	1
encebadar	1
encebollar	1
enceguecer	61
encelajarse	1
encelar	1
enceldar	1
encellar	1
encenagarse	7
encender	53
encendrar	1
encenizar	11
encentar	49
encentrar	1
encepar	1
encerar	1
encernadar	1
encerotar	1
encerrar	49
encerrizarse	11
encespedar	1
encestar	1
encetar	1
enchancletar	1
enchapar	1
encharcar	4
enchavetar	1
enchilar	1
enchinarrar	1
enchinar	1
enchinchar	1
enchipar	1
enchiquerar	1
enchironar	1
enchivarse	1
enchuecar	4
enchufar	1
enchularse	1
enchuletar	1
enchumbar	1
encielar	1
encimar	1
encintar	1
encismar	1
encizañar	1
enclaustrar	1
enclavar	1
enclavijar	1
enclocar	42
encloquecer	61
encobar	1
encobijar	1
encobrar	1
encochar	1
encoclar	36
encocorar	1
encocrar	36
encodillarse	1
encofrar	1
encoger	15
encogollarse	1
encohetar	1
encojar	1
encolar	1
encolerizar	11
encomendar	49
encomiar	1
encompadrar	1
enconar	1
enconfitar	1
encontrar	36
encoñarse	1
encopetar	1
encorachar	1
encorajar	1
encorajinar	1
encorar	36
encorchar	1
encorchetar	1
encordar	36
encordelar	1
encordonar	1
encorecer	61
encornudar	1
encorozar	11
encorralar	1
encorrear	1

encorsetar	1
encortinar	1
encorujarse	1
encorvar	1
encostalar	1
encostarse	1
encostrar	1
encovar	36
encrasar	1
encrespar	1
encrestarse	1
encristalar	1
encrudecer	61
encruelecer	61
encuadernar	1
encuadrar	1
encuartar	1
encuartelar	1
encubar	1
encubertar	1
encubrir	26
encuclillarse	1
encuerar	1
encuestar	1
encuetarse	1
encuevar	1
encuitarse	1
encular	1
enculatar	1
encumbrar	1
encunar	1
encurdarse	1
encureñar	1
encurtir	3
endehesar	1
endemoniar	1
endentar	49
endentecer	61
endeñarse	1
enderechar	1
enderezar	11
enderrotar	1
endeudar	1
endiablar	1
endilgar	7
endiñar	1
endiosar	1
enditarse	1
endoblar	1
endomingarse	7
endorsar	1
endosar	1
endoselar	1
endrogarse	7
endulzar	11
endurar	1
endurecer	61
enejar	1
enemistar	1
energizar	11
enervar	1
enfadar	1
enfajar	1
enfajillar	1
enfajinar	1
enfaldar	1
enfangar	7
enfardar	1
enfardelar	1
enfatizar	11
enfermar	1
enfervorizar	11
enfeudar	1
enfielar	1
enfiestarse	1
enfilar	1
enfistolar	1
enflaquecer	61
enflautar	1
enflorar	1
enfocar	4
enfondar	1
enfoscar	4
enfrailar	1
enfrascar	4
enfrenar	1
enfrentar	1
enfriar	18
enfroscar	1
enfullar	1
enfullinarse	1
enfunchar	1
enfundar	1
enfurecer	61
enfurruñarse	1
enfurruscarse	1
enfurtir	3
engafar	1
engaitar	1
engalanar	1
engalgar	7
engallar	1
enganchar	1
engañar	1
engarabatar	1
engarabitar	1
engaratusar	1
engarbarse	1
engarbullar	1
engargantar	1
engargolar	1
engaritar	1
engarrafar	1
engarrar	1
engarriar	1
engarrotar	1
engarzar	11
engasgarse	7
engastar	1
engatar	1
engatillar	1
engatusar	1
engaviar	1
engavilanar	1
engavillar	1
engazar	11

engendrar 1
engentarse 1
engibar 1
englobar 1
engocetar 1
engolar 1
engolfar 1
engolletarse 1
engolliparse 1
engolondrinar 1
engolosinar 1
engomar 1
engominarse 1
engonzar 11
engorar 36
engordar 1
engorrar 1
engoznar 1
engranar 1
engrandar 1
engrandecer 61
engranerar 1
engranujarse 1
engrapar 1
engrasar 1
engravar 1
engravecer 61
engredar 1
engreír 80
engrescar 4
engrifar 1
engrillar 1
engrilletar 1
engringarse 7
engrosar 1
engrudar 1
engruesar 1
engrumecerse 61
engruñar 1
enguachinar 1
engualdrapar 1
engualichar 1
enguantar 1
enguatar 1
enguerrillarse 1
enguijarrar 1
enguillotarse 1
enguirnaldar 1
enguitarrarse 1
enguizgar 7
engullir 83
engurrar 1
engurrumir 3
engurruñar 1
engurruñir 3
engusgarse 1
enhacinar 1
enharinar 1
enhastiar 18
enhastillar 1
enhatijar 1
enhebillar 1
enhebrar 1
enhenar 1
enherbolar 1
enhestar 49
enhielar 1
enhilar 1
enhollinarse 1
enhorcar 4
enhornar 1
enhorquetar 1
enhuecar 4
enhuerar 1
enigmatizar 11
enjabegarse 7
enjabonar 1
enjaezar 11
enjaguar 9
enjalbegar 7
enjambrar 1
enjaquimar 1
enjarciar 1
enjardinar 1
enjaretar 1
enjaular 1
enjebar 1
enjergar 1
enjerir 3
enjertar 1
enjorguinarse 1
enjoyar 1
enjuagar 7
enjugar 7
enjuiciar 1
enjuncar 4
enjutar 1
enlabiar 1
enlaciar 1
enladrillar 1
enlagunar 1
enlamar 1
enlardar 1
enlatar 1
enlazar 11
enlechar 1
enlegajar 1
enlegamar 1
enlejiar 18
enlenzar 50
enlerdar 1
enligar 7
enlistonar 1
enlizar 11
enllantar 1
enllentecer 61
enllocar 42
enlobreguecer 61
enlodar 1
enlodazar 11
enlomar 1
enloquecer 61
enlosar 1
enlozanarse 1
enlozar 11
enlucir 62

enlustrecer	61
enlutar	1
enmaderar	1
enmadrarse	1
enmagrecer	61
enmalecer	61
enmallarse	1
enmangar	7
enmarañar	1
enmararse	1
enmarcar	4
enmarchitar	1
enmaridar	1
enmarillecerse	61
enmaromar	1
enmascarar	1
enmasillar	1
enmelar	49
enmendar	49
enmerdar	1
enmohecer	61
enmollecer	61
enmonarse	1
enmondar	1
enmontarse	1
enmoquetar	1
enmordazar	11
enmostar	1
enmotar	1
enmudecer	61
enmugrar	1
enmugrecer	61
enmustiar	1
enneciarse	1
ennegrecer	61
ennoblecer	61
ennudecer	61
enojar	1
enorgullecer	61
enquiciar	1
enquillotrar	1
enquistarse	1
enrabar	1
enrabiar	1
enracimarse	1
enraizar	**12**
enralecer	61
enramar	1
enramblar	1
enranciar	1
enrarecer	61
enrasar	1
enrasillar	1
enratonarse	1
enrayar	1
enreciar	1
enredar	1
enrehojar	1
enrejalar	1
enrejar	1
enresmar	1
enriar	18
enrielar	1
enrigidecer	61
enriostrar	1
enriquecer	61
enriscar	4
enristrar	1
enrizar	11
enrocar [en ajedrez]	1
enrocar [de *rueca*]	42
enrodar	36
enrodrigar	7
enrojar	1
enrojecer	61
enrolar	1
enrollar	1
enromar	1
enronchar	1
enronquecer	61
enroñar	1
enroscar	4
enrostrar	1
enrubiar	1
enrudecer	61
enrugar	7
enruinecer	61
ensabanar	1
ensacar	4
ensalivar	1
ensalmar	1
ensalobrarse	1
ensalzar	11
ensamblar	1
ensanchar	1
ensandecer	61
ensangrentar	49
ensañar	1
ensarmentar	49
ensarnecer	61
ensartar	1
ensayalarse	1
ensayar	1
ensebar	1
enselvar	1
ensenar	1
enseñar	1
enseñorearse	1
enserar	1
ensilar	1
ensillar	1
ensimismarse	1
ensoberbecer	61
ensobrar	1
ensogar	7
ensolerar	1
ensolver	46
ensombrecer	61
ensoñar	36
ensopar	1
ensordecer	61
ensortijar	1
ensotarse	1
ensuciar	1
entabacarse	4
entabicar	4

entablar	1
entablerarse	1
entablillar	1
entalegar	7
entalingar	7
entallar	1
entallecer	61
entalonar	1
entamar	1
entapizar	11
entapujar	1
entarascar	4
entarimar	1
entarquinar	1
entarugar	7
entecarse	1
entejar	1
entender	53
entenebrecer	61
enterar	1
entercarse	4
enterciar	1
enternecer	61
enterrar	49
entesar	49
entestar	1
entibar	1
entibiar	1
entierrar	1
entiesar	1
entinar	1
entintar	1
entiznar	1
entolar	1
entoldar	1
entomizar	11
entonar	1
entonelar	1
entongar	7
entontecer	61
entorchar	1
entorilar	1
entornar	1
entornillar	1
entorpecer	61
entortar	36
entosigar	7
entrabar	1
entramar	1
entrampar	1
entrampillar	1
entrañar	1
entrapajar	1
entrapar	1
entrapazar	11
entrar	1
entreabrir	26
entrecavar	1
entrecerrar	49
entrechocar	4
entrecoger	15
entrecomar	1
entrecomillar	1
entrecortar	1
entrecriarse	18
entrecruzar	11
entredecir	88
entregar	7
entrejuntar	1
entrelazar	11
entrelinear	1
entrelucir	62
entremediar	1
entremesar	1
entremesear	1
entremeter	2
entremezclar	1
entrenar	1
entrencar	4
entrenzar	11
entreoír	68
entreparecerse	61
entrepernar	49
entrepunzar	11
entrerrenglonar	1
entresacar	4
entretallar	1
entretejer	2
entretelar	1
entretener	95
entreuntar	1
entrevenarse	1
entrevenir	96
entreverar	1
entrever	60
entrevigar	7
entrevistar	1
entristecer	61
entrojar	1
entrometer	2
entromparse	1
entronar	1
entroncar	4
entronerar	1
entronizar	11
entropillar	1
entruchar	1
entrujar	1
entubar	1
entullecer	61
entumecer	61
entumirse	3
entunicar	4
entupir	3
enturbiar	1
entusiasmar	1
enumerar	1
enunciar	1
envagarar	1
envagrar	1
envaguecer	61
envainar	1
envalentonar	1
envalijar	1
envanecer	61
envarar	1

envarbascar	4
envasar	1
envedijarse	1
envegarse	7
envejecer	61
envelar	1
envenenar	1
enverar	1
enverdecer	61
envergar	7
envesar	1
envestir	32
enviar	18
enviciar	1
envidar	1
envidiar	1
envigar	7
envilecer	61
envinagrar	1
envinar	1
envirar	1
enviscar	4
enviudar	1
envolver	46
enyerbar	1
enyesar	1
enyugar	7
enzainarse	1
enzalamar	1
enzarzar	11
enzolvar	1
enzoquetar	1
enzunchar	1
enzurdecer	61
enzurizar	11
enzurronar	1
epatar	1
epilogar	1
epitimar	1
epitomar	1
equidistar	1
equilibrar	1
equiparar	1
equipar	1
equiponderar	1
equivaler	64
equivocar	4
erar	1
ergotizar	11
erguir	**57**
erigir	16
erisipelar	1
erizar	11
erogar	7
erosionar	1
erotizar	11
erradicar	4
errar	**52**
eructar	1
erupcionar	1
erutar	1
esbarar	1
esbatimentar	1
esbozar	11
esbrencar	4
escabechar	1
escabrosearse	1
escabullarse	1
escabullirse	83
escacharrar	1
escachar	1
escachifollar	1
escafilar	1
escagarruzarse	1
escalabrar	1
escalar	1
escaldar	1
escalfar	1
escalofriar	1
escalonar	1
escalpar	1
escamar	1
escamochar	1
escamondar	1
escamonearse	1
escamotar	1
escamotear	1
escampar	1
escamujar	1
escanciar	1
escandalar	1
escandalizar	11
escandallar	1
escandir	3
escantillar	1
escapar	1
escapular	1
escaquear	1
escarabajear	1
escaramucear	1
escaramuzar	11
escarapelar	1
escarbar	1
escarcear	1
escarchar	1
escardar	1
escardillar	1
escariar	1
escarificar	4
escarizar	11
escarmenar	1
escarmentar	49
escarnecer	61
escarolar	1
escarpar	1
escarrancharse	1
escarzar	11
escasear	1
escatimar	1
escavanar	1
escavar	1
escayolar	1
escenificar	4
escindir	3
escintilar	1
esclarecer	61

esclavizar	11
esclerosar	1
esclerotizar	11
escobajar	1
escobar	1
escobazar	11
escobillar	1
escocer	45
escodar	1
escofinar	1
escoger	15
escogorciarse	1
escolarizar	11
escolar	1
escoliar	1
escollar	36
escoltar	1
escombrar	1
escomerse	2
esconder	2
esconzar	11
escoñar	1
escopetear	1
escoplear	1
escorar	1
escorchar	1
escoriar	1
escornarse	1
escorzar	11
escoscar	4
escotar	1
escribir	**28**
escriturar	1
escrupulizar	11
escrutar	1
escuadrar	1
escuadronar	1
escuchar	1
escudar	1
escuderear	1
escudillar	1
escudriñar	1
esculcar	4
escullirse	83
esculpir	3
escupir	3
escurar	1
escurrir	3
esdrujulizar	11
esfacelar	1
esfogar	1
esforrocinar	1
esforzar	41
esfumar	1
esfuminar	1
esgarrar	1
esgonzar	11
esgrafiar	18
esgrimir	3
esguardamillar	1
esguazar	11
eslabonar	1
eslavizar	11
esmaltar	1
esmerar	1
esmerilar	1
esmorecer	2
esmuir	70
esmuñir	82
esnifar	1
espabilar	1
espachurrar	1
espaciar	1
espadañar	1
espadar	1
espadillar	1
espalar	1
espaldear	1
espaldonarse	1
espalmar	1
espantar	1
españolar	1
españolear	1
españolizar	11
esparcir	14
esparragar	7
esparramar	1
esparrancarse	4
espatarrarse	1
especializar	11
especiar	1
especificar	4
especular	1
espejarse	1
espejear	1
espelotarse	1
espelucar	4
espeluzar	11
espeluznar	1
esperanzar	11
esperar	1
esperezarse	11
espesar	1
espetar	1
espiar	18
espichar	1
espigar	7
espinar	1
espinochar	1
espirar	1
espiritar	1
espiritualizar	11
espitar	1
esplender	2
espolear	1
espoliar	1
espolinar	1
espolvorear	1
espolvorizar	11
esponjar	1
esponsorizar	11
espontanearse	1
esportear	1
esporular	1
esposar	1
esprintar	1

espulgar	7
espumajear	1
espumarajear	1
espumar	1
espumear	1
espurrear	1
espurriar	18
espurrir	3
esputar	1
esquebrajar	1
esquejar	1
esquematizar	11
esquiar	18
esquiciar	1
esquifar	1
esquilar	1
esquilmar	1
esquinar	1
esquinzar	11
esquivar	1
estabilizar	11
establear	1
establecer	61
estabular	1
estacar	4
estacionar	1
estafar	1
estajar	1
estallar	1
estambrar	1
estampar	1
estampillar	1
estancar	4
estandardizar	11
estandarizar	11
estañar	1
estaquear	1
estaquillar	1
estarcir	14
estar	**90**
estatificar	4
estatuir	70
estebar	1
estenografiar	18
estenotipiar	1
esterar	1
estercolar	1
estereotipar	1
esterilizar	11
estezar	11
estibar	1
estigmatizar	11
estilar	1
estilizar	11
estimar	1
estimular	1
estiomenar	1
estipendiar	1
estipticar	4
estipular	1
estirar	1
estofar	1
estomagar	7
estoquear	1
estorbar	1
estordir	3
estornudar	1
estovar	1
estragar	7
estrangular	1
estraperlear	1
estratificar	4
estrechar	1
estregar	7
estrellar	1
estremecer	61
estrenar	1
estreñir	35
estresar	1
estriar	18
estribar	1
estridular	1
estropajear	1
estropear	1
estroquear	1
estrucar	4
estructurar	1
estrujar	1
estucar	4
estuchar	1
estudiar	1
estuprar	1
esturar	1
esturdir	3
esturgar	7
esturrear	1
esvarar	1
eterizar	11
eternizar	11
etimologizar	11
etiquetar	1
europeizar	12
evacuar	1
evadir	3
evaluar	19
evanecer	61
evanescer	61
evangelizar	11
evaporar	1
evaporizar	11
evidenciar	1
eviscerar	1
evitar	1
evocar	4
evolucionar	1
exacerbar	1
exagerar	1
exaltar	1
examinar	1
exasperar	1
excandecer	61
excarcelar	1
excavar	1
exceder	2
excepcionar	1
exceptuar	19

excitar	1
exclamar	1
exclaustrar	1
excluir	70
excogitar	1
excomulgar	7
excoriar	1
excrementar	1
excretar	1
exculpar	1
excusar	1
execrar	1
exentar	1
exfoliar	1
exhalar	1
exheredar	1
exhibir	3
exhortar	1
exhumar	1
exigir	16
exilar	1
exiliar	1
eximir	3
existimar	1
existir	3
exonerar	1
exorar	1
exorbitar	1
exorcizar	11
exornar	1
expandir	3
expansionarse	1
expatriar	18
expectorar	1
expedientar	1
expedir	32
expeler	2
expender	2
expensar	1
experimentar	1
expiar	18
expirar	1
explanar	1
explayar	1
explicar	4
explicitar	1
explicotear	1
explorar	1
explosionar	1
explotar	1
expoliar	1
exponer	66
exportar	1
expresar	1
exprimir	3
expropiar	1
expugnar	1
expulsar	1
expurgar	7
extasiarse	18
extender	53
extenuar	19
exteriorizar	11
exterminar	1
externar	1
extinguir	10
extirpar	1
extorsionar	1
extractar	1
extraditar	1
extraer	72
extralimitar	1
extranjerizar	11
extrañar	1
extrapolar	1
extravasarse	1
extravenar	1
extraviar	18
extremar	1
extrudir	3
exudar	1
exulcerar	1
exultar	1
eyacular	1
eyectar	1
ezquerdear	1

F

fabricar	4
fabular	1
facetar	1
facetear	1
fachear	1
fachendear	1
facilitar	1
facturar	1
facultar	1
faenar	1
fagocitar	1
fajar	1
falcar	4
faldear	1
fallar	1
fallecer	61
fallir	3
falsar	1
falsear	1
falsificar	4
faltar	1
familiarizar	11
fanatizar	11
fanfarrear	1
fanfarronear	1
fantasear	1
fantasmear	1
fañar	1
farabustear	1
farandulear	1
fardar	1
farfullar	1
farolear	1
farrear	1
fascinar	1
fastidiar	1

fatigar	7
favorecer	61
fechar	1
fecundar	1
fecundizar	11
federar	1
felicitar	1
felpar	1
felpear	1
feminizar	11
fenecer	61
fenicar	4
feriar	1
fermentar	1
ferrar	49
ferretear	1
ferrificarse	4
fertilizar	11
fervorizar	11
festejar	1
festonar	1
festonear	1
feudar	1
fiambrar	1
fiar	18
fibrilar	1
fichar	1
fieltrar	1
figurar	1
fijar	1
filar	1
filetear	1
filiar	1
filmar	1
filosofar	1
filtrar	1
finalizar	11
financiar	1
finar	1
fincar	4
fingir	16
finiquitar	1
fintar	1
firmar	1
fiscalizar	11
fisgar	7
fisgonear	1
fisionar	1
fistularse	1
flagelar	1
flagrar	1
flambear	1
flamear	1
flanquear	1
flaquear	1
flautear	1
flechar	1
fletar	1
flexibilizar	11
flexionar	1
flipar	1
flirtear	1
flocular	1
flojear	1
florar	1
flordelisar	1
florear	1
florecer	61
floretear	1
flotar	1
fluctuar	19
fluidificar	4
fluir	70
focalizar	11
fogarizar	11
foguear	1
foliar	1
follar [de practicar el coito]	1
follar [de *fuelle*]	36
fomentar	1
fondear	1
forcejar	1
forcejear	1
forestar	1
forjar	1
formalizar	11
formar	1
formatear	1
formular	1
fornicar	4
forrajear	1
forrar	1
fortalecer	61
fortificar	4
forzar	**41**
fosar	1
fosfatar	1
fosforar	1
fosforecer	61
fosforescer	61
fosilizarse	11
fotocomponer	66
fotocopiar	1
fotograbar	1
fotografiar	18
fotolitografiar	18
fotosintetizar	11
fracasar	1
fraccionar	1
fracturar	1
fragilizar	11
fragmentar	1
fraguar	9
frangir	16
frangollar	1
franjar	1
franjear	1
franquear	1
frasear	1
fratasar	1
fraternizar	11
frecuentar	1
fregar	51
fregotear	1
freír	**81**

frenar	1
frenetizar	11
fresar	1
fretar	1
frezar	11
fricar	4
friccionar	1
frisar	1
fritar	1
frivolizar	11
frogar	7
frotar	1
fructificar	4
fruir	70
fruncir	14
frustrar	1
frutar	1
frutecer	61
fucilar	1
fufar	1
fugarse	7
fulgir	16
fulgurar	1
fulminar	1
fumar	1
fumigar	7
funcionar	1
fundamentar	1
fundar	1
fundir	3
fungir	16
fuñar	1
fuñicar	4
fusilar	1
fusionar	1
fustigar	7

G

gafar	1
gaguear	1
galantear	1
galardonar	1
galbanear	1
galibar	1
gallardear	1
gallar	1
gallear	1
gallofar	1
gallofear	1
galonear	1
galopar	1
galopear	1
galuchar	1
galvanizar	11
gamberrear	1
gambetear	1
gamitar	1
ganar	1
gandujar	1
gandulear	1
gangrenarse	1
ganguear	1
gansear	1
ganzuar	19
gañir	82
garabatear	1
garafiñar	1
garantir	24
garantizar	11
garapiñar	1
garbear	1
garbillar	1
garfear	1
gargajear	1
gargantear	1
gargarizar	11
garlar	1
garrafiñar	1
garramar	1
garrapatear	1
garrapiñar	1
garrar	1
garrear	1
garrir	3
garrochar	1
garrochear	1
garronear	1
garrotear	1
garuar	19
gasear	1
gasificar	4
gastar	1
gatear	1
gauchear	1
gavillar	1
gayar	1
gazmiar	1
gaznar	1
gelatinar	1
gelatinizar	11
gelificar	4
geminar	1
gemiquear	1
gemir	32
generalizar	11
generar	1
gentilizar	11
germanizar	11
germinar	1
gestar	1
gestear	1
gesticular	1
gestionar	1
gibar	1
gilipollear	1
gimotear	1
girar	1
gitanear	1
glasear	1
globalizar	11
gloriar	18
glorificar	4
glosar	1
glotonear	1

Verbo	Nº
gluglutear	1
gobernar	49
gofrar	1
golear	1
golfear	1
golosear	1
golosinar	1
golosinear	1
golosmear	1
golpear	1
golpetear	1
goncear	1
gongorizar	11
gorgojarse	1
gorgoritear	1
gorgotear	1
gorjear	1
gormar	1
gorrear	1
gorronear	1
gotear	1
gozar	11
grabar	1
gracejar	1
gradar	1
graduar	19
grajear	1
gramaticalizarse	11
gramatiquear	1
granallar	1
granar	1
grandisonar	1
granear	1
granizar	11
granjear	1
granular	1
grapar	1
gratar	1
gratificar	4
gratinar	1
gratular	1
gravar	1
gravitar	1
graznar	1
grecizar	11
grietarse	1
grifarse	1
grillar	1
gripar	1
grisear	1
gritar	1
groar	1
gruir	70
grujir	3
gruñir	82
guachapear	1
guadañar	1
gualdrapear	1
guanaquear	1
guantear	1
guapear	1
guardar	1
guarecer	61
guarnecer	61
guarnicionar	1
guarnir	24
guarrear	1
guasearse	1
guayabear	1
guayar	1
guerrear	1
guerrillear	1
guiar	**18**
guillarse	1
guillotinar	1
guinchar	1
guindar	1
guiñar	1
guipar	1
guisar	1
guitarrear	1
guitar	1
guitonear	1
guizgar	7
gulusmear	1
gurruñar	1
gusanear	1
gustar	1

H

Verbo	Nº
haber	**97**
habilitar	1
habitar	1
habituar	19
hablar	1
hacendar	49
hacer	**77**
hachar	1
hachear	1
hacinar	1
hadar	1
halagar	7
halar	1
haldear	1
hallar	1
hamacar	1
hamaquear	1
hambrear	1
haraganear	1
harbullar	1
harinear	1
harmonizar	11
harnear	1
haronear	1
harrear	1
hartar	1
hastiar	18
hatajar	1
hatear	1
hebraizar	12
hechizar	11
heder	53
helar	49
helear	1

Verbo	Modelo
helenizar	11
hembrear	1
henchir	32
hender	53
hendir	55
henear	1
henificar	4
heñir	35
herbajar	1
herbajear	1
herbar	49
herbecer	61
herbolar	1
herborizar	11
heredar	1
herir	56
hermanar	1
hermanear	1
hermanecer	61
hermetizar	11
hermosear	1
herniarse	1
herrar	49
herrenar	1
herretear	1
herrumbrar	1
herventar	49
hervir	56
hesitar	1
hetar	1
hibernar	1
hibridar	1
hidratar	1
hidrogenar	1
hidrolizar	11
higienizar	11
hijuelar	1
hilar	1
hilvanar	1
himpar	1
himplar	1
hincar	4
hinchar	1
hipar	1
hipear	1
hiperbolizar	11
hiperestesiar	1
hipertrofiar	1
hipnotizar	11
hipostasiar	1
hipotecar	4
hirmar	1
hisopar	1
hisopear	1
hispanizar	11
historiar	1
hitar	1
hocicar	4
hociquear	1
hojalatear	1
hojaldrar	1
hojear	1
holear	1
holgar	40
holgazanear	1
hollar	36
hombrear	1
homenajear	1
homogeneizar	12
homologar	7
hondear	1
honestar	1
honrar	1
hoparse	1
hopear	1
horadar	1
hormiguear	1
hormonar	1
hornaguear	1
hornear	1
horrar	1
horripilar	1
horrorizar	11
hospedar	1
hospitalizar	11
hostiar	1
hostigar	7
hostilizar	11
hoyar	1
hozar	11
huachar	1
huchear	1
huevar	1
huevear	1
huevonear	1
huir	**70**
humanar	1
humanizar	11
humar	1
humear	1
humectar	1
humedecer	61
humidificar	4
humillar	1
hundir	3
huracanarse	1
hurgar	7
hurgonear	1
hurguetear	1
huronear	1
hurtar	1
husmar	1
husmear	1

I

Verbo	Modelo
idealizar	11
idear	1
identificar	4
idiotizar	11
idolatrar	1
ignorar	1
igualar	1
ijadear	1
ilegalizar	11

ilegitimar	1
iludir	3
iluminar	1
ilusionar	1
ilustrar	1
imaginar	1
imanar	1
imantar	1
imbricar	4
imbuir	70
imbunchar	1
imitar	1
impacientar	1
impactar	1
impartir	3
impedir	32
impeler	2
impender	2
imperar	1
impermeabilizar	11
impersonalizar	11
impetrar	1
implantar	1
implar	1
implicar	4
implorar	1
imponer	66
importar	1
importunar	1
imposibilitar	1
impostar	1
imprecar	4
impregnar	1
imprentar	1
impresionar	1
imprimar	1
imprimir	**29**
improbar	36
improperar	1
improvisar	1
impugnar	1
impulsar	1
impurificar	4
imputar	1
inactivar	1
inaugurar	1
incapacitar	1
incardinar	1
incautarse	1
incendiar	1
incensar	49
incentivar	1
incidir	3
incinerar	1
incitar	1
inclinar	1
incluir	70
incoar	1
incomodar	1
incomunicar	4
incordiar	1
incorporar	1
incrementar	1
increpar	1
incriminar	1
incrustar	1
incubar	1
inculcar	4
inculpar	1
incumbir	3
incumplir	3
incurrir	3
incusar	1
indagar	7
indemnizar	11
independizar	11
indexar	1
indicar	4
indiciar	1
indigestarse	1
indignar	1
indilgar	7
indinar	1
indisciplinar	1
indisponer	66
individualizar	11
individuar	19
indizar	11
inducir	86
indulgenciar	1
indultar	1
indurar	1
industrializar	11
industriar	1
inervar	1
infamar	1
infantilizar	11
infartar	1
infatuar	19
infeccionar	1
infectar	1
inferir	56
infernar	49
infestar	1
infeudar	1
infibular	1
inficionar	1
infiltrar	1
infirmar	1
inflamar	1
inflar	1
infligir	16
influenciar	1
influir	70
informar	1
informatizar	11
infraccionar	1
infrautilizar	11
infravalorar	1
infringir	16
infundir	3
infurtir	3
ingeniar	1
ingerir	56
ingletear	1
ingresar	1

ingurgitar	1	instar	1	interpolar	1
inhabilitar	1	instaurar	1	interponer	66
inhalar	1	instigar	7	interprender	2
inhestar	49	instilar	1	interpretar	1
inhibir	3	institucionalizar	11	interrogar	7
inhumar	1	instituir	70	interrumpir	3
inicializar	11	instruir	70	intersecarse	4
iniciar	1	instrumentalizar	11	intervenir	96
injerir	56	instrumentar	1	intestar	1
injertar	1	insubordinar	1	intimar	1
injuriar	1	insudar	1	intimidar	1
inmaterializar	11	insuflar	1	intitular	1
inmigrar	1	insultar	1	intoxicar	4
inmiscuir	70	insumir	3	intranquilizar	11
inmolar	1	insurreccionar	1	intricar	4
inmortalizar	11	integrar	1	intrigar	7
inmovilizar	11	intelectualizar	11	intrincar	4
inmunizar	11	intensar	1	introducir	86
inmutar	1	intensificar	4	intrusarse	1
innovar	1	intentar	1	intubar	1
inocular	1	interaccionar	1	intuir	70
inquietar	1	intercalar	1	inundar	1
inquinar	1	intercambiar	1	inutilizar	11
inquirir	54	interceder	2	invadir	3
insacular	1	interceptar	1	invaginar	1
insalivar	1	intercomunicar	4	invalidar	1
inscribir	3	interconectar	1	inventariar	18
insculpir	3	interdecir	88	inventar	1
inseminar	1	interesar	1	invernar	49
insensibilizar	11	interferir	56	invertir	56
inserir	56	interfoliar	1	investigar	7
insertar	1	interinar	1	investir	32
insidiar	1	interiorizar	11	inveterarse	1
insinuar	19	interlinear	1	invigilar	1
insistir	3	intermediar	1	invitar	1
insolar	1	intermitir	3	invocar	4
insolentar	1	internacionalizar	11	involucionar	1
insolubilizar	11	internalizar	11	involucrar	1
insonorizar	11	internar	1	inyectar	1
inspeccionar	1	interpaginar	1	ionizar	11
inspirar	1	interpelar	1	irirear	1
instalar	1	interpenetrarse	1	irisar	1

laicizar 11
lamber 2
lambiscar 4
lambisquear 1
lambrucear 1
lambucear 1
lamentar 1
lamer 2
laminar 1
lamiscar 4
lampacear 1
lampar 1
lampear 1
lamprear 1
lancear 1
lancinar 1
languidecer 61
lanzar 11
lañar 1
lapidar 1
lapidificar 4
lapizar 11
laquear 1
lardar 1
lardear 1
largar 7
lascar 4
lastar 1
lastimar 1
lastrar 1
latear 1
lateralizar 11
latiguear 1
latinar 1
latinear 1
latinizar 11
latir 3
latrocinar 1
laudar 1
laurear 1
lavar 1
lavotear 1
laxar 1
layar 1
lazar 11
lechucear 1
leer 17
legalizar 11
legar 7
legislar 1
legitimar 1
legrar 1
lengüetear 1
lenificar 4
lentecer 61
lentificar 4
lerdear 1
lesear 1
lesionar 1
letificar 4
leudar 1
levantar 1
levar 1
levigar 7
levitar 1
lexicalizar 11
liar 18
libar 1
libelar 1
liberalizar 11
liberar 1
libertar 1
librar 1
librear 1
licenciar 1
licitar 1
licuar 1
licuefacer 79
liderar 1
lidiar 1
liftar 1
ligar 7
ligerear 1
lignificar 4
lijar 1
lilequear 1
limar 1
limitar 1
limosnear 1
limpiar 1
lincear 1
linchar 1
lindar 1
linear 1
liofilizar 11
lipidiar 1
liquidar 1
lisiar 1
lisonjear 1
listar 1
listonar 1
litar 1
litigar 7
litofotografiar 18
litografiar 18
lividecer 61
lixiviar 1
llagar 7
llaguear 1
llamar 1
llamear 1
llanear 1
llapar 1
llauquearse 1
llavear 1
llegar 7
llenar 1
lleudar 1
llevar 1
llorar 1
lloriquear 1
llover 43
lloviznar 1
lloviznear 1
loar 1
lobear 1

lobreguecer	61
localizar	11
lograr	1
lombardear	1
lomear	1
lonchear	1
lonjear	1
loquear	1
losar	1
lotear	1
lozanear	1
lozanecer	61
lubricar	4
lubrificar	4
luchar	1
lucir	**62**
lucrar	1
lucubrar	1
ludir	3
luir	70
lujar	1
lujuriar	1
lustrar	1
lustrear	1
luxar	1

M

macadamizar	11
macanear	1
macarse	4
macear	1
macerar	1
machacar	4
machar	1
machear	1
machetear	1
machihembrar	1
machinar	1
machucar	4
macizar	11
macollar	1
macular	1
madrear	1
madrigalizar	11
madrugar	7
madurar	1
maestralizar	11
maestrear	1
magnetizar	11
magnificar	4
magostar	1
magrear	1
maguarse	1
magullar	1
maherir	56
mahometizar	11
majadear	1
majaderear	1
majar	1
majear	1
malacostumbrar	1
malaxar	1
malbaratar	1
malcasar	1
malcomer	2
malcriar	18
maldecir	88
maleabilizar	11
malear	1
maleducar	4
maleficiar	1
malemplear	1
malentender	53
malgastar	1
malherir	56
malhumorar	1
maliciar	1
malignar	1
malignizarse	11
malingrar	1
malinterpretar	1
mallar	1
malmeter	2
malograr	1
maloquear	1
malparar	1
malparir	3
malpasar	1
malpensar	49
malquerer	93
malquistar	1
malrotar	1
maltear	1
maltraer	72
maltratar	1
malvar	1
malvender	2
malversar	1
malvivir	3
mamar	1
mampostear	1
mampresar	1
mamujar	1
mamullar	1
manar	1
mancar	4
manchar	1
mancillar	1
mancipar	1
mancomunar	1
mancornar	36
mandar	1
mandatar	1
mandilar	1
mandrilar	1
manducar	4
manear	1
manejar	1
manferir	56
manganear	1
mangar	7
mangonear	1
manguear	1

maniatar 1
manifestar 49
maniobrar 1
manipular 1
manir 24
manjolar 1
manojear 1
manosear 1
manotear 1
manquear 1
mansurrear 1
mantear 1
mantener 95
manufacturar 1
manumitir 3
manuscribir 3
manutener 95
mañanear 1
mañear 1
mañerear 1
mañosear 1
maquear 1
maquilar 1
maquillar 1
maquinar 1
maquinizar 11
marañar 1
maravillar 1
marcar 4
marcear 1
marcenar 1
marchamar 1
marchar 1
marchitar 1
marcir 3
marear 1
margenar 1
marginar 1
margullar 1
mariconear 1
maridar 1
marinar 1
marinear 1
mariposear 1
mariscar 4
marlotar 1
marmolear 1
marmullar 1
maromear 1
marramizar 11
marranear 1
marrar 1
marrear 1
marrullar 1
martajar 1
martillar 1
martillear 1
martirizar 11
masacrar 1
masajear 1
masar 1
mascar 4
mascujar 1
masculinizar 11
mascullar 1
masificar 4
mastear 1
masticar 4
masturbar 1
matar 1
matasellar 1
matear 1
matematizar 11
materializar 11
maternizar 11
matizar 11
matraquear 1
matrerear 1
matricular 1
matrimoniar 1
matrizar 11
matutear 1
maular 21
maullar 21
maximizar 11
mayar 1
mayear 1
mayordomear 1
mazar 11
maznar 1
mazonear 1
mear 1
mecanizar 11
mecanografiar 18
mecatiar 1
mecer 13
mechar 1
mechificar 4
mechonear 1
mediar 1
mediatizar 11
medicar 4
medicinar 1
medir 32
meditar 1
medrar 1
mejorar 1
melancolizar 11
melar 49
melgar 7
melificar 4
melindrear 1
mellar 1
memorar 1
memorizar 11
menar 1
mencionar 1
mendigar 7
menear 1
menguar 9
menoscabar 1
menospreciar 1
menstruar 19
mensurar 1
mentalizar 11
mentar 49

mentir	56	miniar	1	moldear	1
menudear	1	miniaturizar	11	moldurar	1
merar	1	minimizar	11	moler	43
mercadear	1	ministrar	1	molestar	1
mercantilizar	11	minorar	1	molificar	4
mercar	4	minusvalorar	1	molinetear	1
mercerizar	11	minutar	1	mollear	1
merecer	61	mirar	1	mollificar	4
merendar	49	mirificar	4	mollinear	1
mermar	1	mirlarse	1	molliznar	1
merodear	1	misar	1	molliznear	1
mesar	1	miserear	1	molturar	1
mestizar	11	misionar	1	momear	1
mesurar	1	mistar	1	momificar	4
metabolizar	11	mistificar	4	mondar	1
metaforizar	11	misturar	1	monear	1
metalizar	11	mitificar	4	monedar	1
metamorfizar	11	mitigar	7	monetizar	11
metamorfosear	1	mitinear	1	monitorizar	11
metatizar	11	mitrar	1	monologar	7
meteorizar	11	mixtificar	4	monopolizar	11
meter	2	mixturar	1	monoptongar	7
metodizar	11	moblar	36	montanear	1
metrificar	4	mocar	4	montantear	1
mezclar	1	mocear	1	montar	1
mezquinar	1	mochar	1	montazgar	7
miar	18	mocionar	1	montear	1
miccionar	1	modelar	1	monumentalizar	11
microfilmar	1	modelizar	11	moquear	1
migar	7	moderar	1	moquetear	1
migrar	1	modernizar	11	moquitear	1
milagrear	1	modificar	4	moralizar	11
militarizar	11	modorrar	1	morar	1
militar	1	modular	1	morcar	4
milpear	1	mofar	1	morder	43
mimar	1	mohatrar	1	mordicar	4
mimbrar	1	mohecerse	61	mordiscar	4
mimbrear	1	mohosearse	1	mordisquear	1
mimeografiar	18	mojar	1	morigerar	1
mimetizar	11	mojonar	1	**morir**	**48**
minar	1	molar	1	mormarse	1
mineralizar	11	moldar	1	mormullar	1

morrear	1
mortajar	1
mortificar	4
moscardear	1
moscar	4
mosconear	1
mosquear	1
mostear	1
mostrar	36
motar	1
motear	1
motejar	1
motilar	1
motivar	1
motorizar	11
mover	**43**
movilizar	11
mozonear	1
muchachear	1
mudar	1
mueblar	1
muellear	1
muequear	1
muflir	3
mugar	7
mugir	16
mulatear	1
mulatizar	11
muletear	1
mullir	83
multar	1
multicopiar	1
multiplexar	1
multiplicar	4
mundanear	1
mundificar	4
municionar	1
municipalizar	11
muñequear	1
muñir	82
muquir	6
murar	1
murciar	1
murmujear	1
murmullar	1
murmurar	1
murriar	1
muscularse	1
musicalizar	11
musitar	1
mustiarse	1
mutar	1
mutilar	1

N

nacer	61
nacionalizar	11
nadar	1
najarse	1
nalguear	1
nancear	1
nanear	1
narcotizar	11
narrar	1
nasalizar	11
naturalizar	11
naufragar	7
navegar	7
neblinear	1
nebulizar	11
necear	1
necesitar	1
necrosar	1
negar	51
negligir	3
negociar	1
negrear	1
negrecer	61
nesgar	7
neutralizar	11
nevar	49
neviscar	4
nidificar	4
nielar	1
nimbar	1
ningunear	1
niñear	1
niquelar	1
nitrar	1
nitratar	1
nitrificar	4
nitrogenar	1
nitrurar	1
nivelar	1
nocautear	1
noctambular	1
nocturnear	1
nombrar	1
nominalizar	11
nominar	1
noquear	1
nordestear	1
normalizar	11
noroestear	1
nortear	1
noruestear	1
notar	1
noticiar	1
notificar	4
novar	1
novelar	1
novelizar	11
noviar	1
novillear	1
nublar	1
nuclearizar	11
numerar	1
nutrir	3

Ñ

ñangotarse	1
ñapear	1

O

obcecar	4
obedecer	61
obispar	1
objetar	1
objetivar	1
objetivizar	11
oblicuar	1
obligar	7
obliterar	1
obnubilar	1
obrar	1
obscurecer	61
obsequiar	1
observar	1
obsesionar	1
obstaculizar	11
obstar	1
obstinarse	1
obstruir	70
obtemperar	1
obtener	95
obturar	1
obviar	1
ocalear	1
ocasionar	1
occidentalizar	11
ochavar	1
ociar	1
ociosear	1
ocluir	70
octavar	1
octuplicar	4
ocultar	1
ocupar	1
ocurrir	3
odiar	1
odiosear	1
ofender	2
ofertar	1
oficializar	11
oficiar	1
ofrecer	61
ofrendar	1
ofuscar	4
oír	**68**
ojalar	1
ojear	1
ojetear	1
olear	1
oler	**44**
olfatear	1
oliscar	4
olismear	1
olisquear	1
olivar	1
olorizar	11
olorosear	1
olvidar	1
ominar	1
omitir	3
oncear	1
ondear	1
ondular	1
opacar	4
opalizar	11
operar	1
opilarse	1
opinar	1
oponer	66
opositar	1
oprimir	3
oprobiar	1
optar	1
optimar	1
optimizar	11
opugnar	1
orar	1
orbitar	1
ordenar	1
ordeñar	1
orear	1
orejear	1
organizar	11
orientar	1
orificar	4
originar	1
orillar	1
orinar	1
orlar	1
ornamentar	1
ornar	1
orquestar	1
orvallar	1
orzar	11
osar	1
oscilar	1
oscurecer	61
osear	1
osificarse	4
ostentar	1
otear	1
otoñar	1
otorgar	7
ovacionar	1
ovalar	1
ovar	1
ovillar	1
ovular	1
oxear	1
oxidar	1
oxigenar	1
ozonizar	11

P

pacer	61
pacificar	4
pactar	1
padecer	61
padrear	1
padrotear	1
paganizar	11
pagar	**7**

paginar	1
pairar	1
pajarear	1
pajear	1
palabrear	1
paladear	1
palanganear	1
palanquear	1
palatalizar	11
palear	1
palenquear	1
paletear	1
paletizar	11
paliar	1
palidecer	61
paliquear	1
palmar	1
palmear	1
palmotear	1
palomear	1
palotear	1
palpar	1
palpitar	1
pampear	1
pandar	1
pandear	1
panderetear	1
pandorguear	1
panear	1
panegirizar	11
panificar	4
pantallear	1
papachar	1
papar	1
papear	1
papelear	1
papeletear	1
papelonear	1
paporrear	1
paporretear	1
paquetear	1
parabolizar	11
parafinar	1
parafrasear	1
parahusar	21
paralelar	1
paralizar	11
paralogizar	11
paramentar	1
parangonar	1
parapetarse	1
parar	1
parasitar	1
parcelar	1
parchar	1
parchear	1
pardear	1
parear	1
parecer	61
parificar	4
parir	3
parkerizar	11
parlamentar	1
parlar	1
parlotear	1
parodiar	1
parpadear	1
parpar	1
parquear	1
parrafear	1
parrandear	1
parrar	1
partear	1
participar	1
particularizar	11
partir	**3**
parvificar	4
pasamanar	1
pasaportar	1
pasar	1
pasear	1
pasmar	1
pasquinar	1
pastar	1
pastear	1
pastelear	1
pasterizar	11
pasteurizar	11
pastorear	1
patalear	1
patear	1
patentar	1
patentizar	11
patinar	1
patiperrear	1
patiquebrar	49
patriar	1
patrocinar	1
patronear	1
patrullar	1
patullar	1
paular	1
pauperizar	11
pausar	1
pautar	1
pavear	1
pavimentar	1
pavonar	1
pavonear	1
pavordear	1
payar	1
pecar	4
pechar	1
pechear	1
pecorear	1
pedalear	1
pedantear	1
pedir	**32**
pedorrear	1
peer	17
pegar	7
pegotear	1
peguntar	1
peinar	1
pelambrar	1
pelar	1

pelear	1	pergeñar	1	pespuntar	1
pelechar	1	periclitar	1	pespuntear	1
peligrar	1	perifonear	1	pesquisar	1
pelletizar	11	perifrasear	1	pestañear	1
pellizcar	4	perimir	3	petardear	1
pelotear	1	peritar	1	petar	1
peludear	1	perjudicar	4	petrificar	4
peluquear	1	perjurar	1	petrolear	1
penalizar	11	perlar	1	piafar	1
penar	1	perlongar	7	piar	18
pencar	4	permanecer	61	picanear	1
pendejear	1	permeabilizarse	11	picardear	1
pendenciar	1	permear	1	picarizar	11
pender	2	permitir	3	picar	4
pendonear	1	permutar	1	picharse	1
pendrar	1	pernear	1	pichear	1
penetrar	1	perniquebrar	49	pichonear	1
penitenciar	1	pernoctar	1	pichulear	1
pensar	**49**	pernotar	1	picotear	1
pensionar	1	perorar	1	pifiar	1
pepenar	1	peroxidar	1	pigmentar	1
peraltar	1	perpetrar	1	pignorar	1
percatar	1	perpetuar	19	pilar	1
perchar	1	perquirir	54	pillar	1
perchonar	1	perseguir	34	pillear	1
percibir	3	perseverar	1	pilotar	1
percollar	36	persignar	1	pilotear	1
percudir	3	persistir	3	pimplar	1
percutir	3	personalizar	11	pimpollear	1
perder	53	personarse	1	pimpollecer	61
perdigar	7	personificar	4	pincelar	1
perdonar	1	persuadir	3	pinchar	1
perdurar	1	pertenecer	61	pindonguear	1
perecear	1	pertiguear	1	pingar	7
perecer	61	pertrechar	1	pingonear	1
peregrinar	1	perturbar	1	pintarrajar	1
perennizar	11	peruanizar	11	pintarrajear	1
perfeccionar	1	pervertir	56	pintar	1
perfilar	1	pervibrar	1	pintiparar	1
perforar	1	pervivir	3	pintonear	1
perfumar	1	pesar	1	pintorrear	1
perfumear	1	pescar	4	pinzar	11

piñonear 1
piolar 1
pipar 1
pipetear 1
pipiar 18
pirar 1
piratear 1
pirograbar 1
piropear 1
pirrarse 1
piruetear 1
pisar 1
pisonear 1
pisotear 1
pispar 1
pispear 1
pispiar 1
pistar 1
pitar 1
pitear 1
pitorrearse 1
piular 1
pivotar 1
pivotear 1
pizcar 4
placar 4
placear 1
placer 91
plagar 7
plagiar 1
planchar 1
planchear 1
planear 1
planificar 4
plantar 1
plantear 1
plantificar 4
plantillar 1
plañir 82
plasmar 1
plastecer 61
plastificar 4
platear 1
platicar 4
platinar 1
plebiscitar 1
plegar 51
pleitear 1
plisar 1
plomar 1
plomear 1
plumear 1
pluralizar 11
poblar 36
pobretear 1
pochar 1
podar 1
poder 92
podrir 31
poetizar 11
polarizar 11
polemizar 11
policopiar 1
policromar 1
polimerizar 11
polinizar 11
polir 24
politiquear 1
politizar 11
pollear 1
pololear 1
poltronear 1
poltronizarse 11
polucionar 1
polvificar 4
polvorear 1
polvorizar 11
pompear 1
pomponearse 1
poncharse 1
ponderar 1
poner 66
pontear 1
pontificar 4
popar 1
popularizar 11
porcar 42
pordiosear 1
porfiar 18
porfirizar 11
pormenorizar 11
porracear 1
porrear 1
portar 1
portazgar 7
portear 1
posar 1
poseer 17
posesionar 1
posibilitar 1
posicionar 1
positivar 1
posponer 66
postergar 7
postilar 1
postinear 1
postrar 1
postular 1
potabilizar 11
potar 1
potenciar 1
potrear 1
potrerear 1
practicar 4
prebendar 1
precalentar 49
precaucionarse 1
precautelar 1
precaver 2
preceder 2
preceptuar 19
preciarse 1
precintar 1
precipitar 1
precisar 1
preconcebir 32

verbo	modelo
preconizar	11
preconocer	61
predecir	**89**
predefinir	3
predestinar	1
predeterminar	1
predicar	4
predisponer	66
predominar	1
preelegir	33
preestablecer	61
preexistir	3
prefabricar	4
preferir	32
prefigurar	1
prefijar	1
prefinir	3
pregonar	1
preguntar	1
pregustar	1
prejuzgar	7
prelucir	62
preludiar	1
premeditar	1
premiar	1
premorir	48
premostrar	36
prendar	1
prender	2
prenotar	1
prensar	1
prenunciar	1
preñar	1
preocupar	1
preordinar	1
preparar	1
preponderar	1
preponer	66
preposterar	1
presagiar	1
prescindir	3
prescribir	28
preseleccionar	1
presenciar	1
presentar	1
presentir	56
preservar	1
presidiar	1
presidir	3
presionar	1
prestar	1
prestigiar	1
presumir	3
presuponer	66
presupuestar	1
presurizar	11
pretender	2
preterir	24
pretermitir	3
preternaturalizar	11
pretextar	1
prevalecer	61
prevaler	64
prevaricar	4
prevenir	96
prever	**60**
primar	1
primearse	1
primorear	1
principiar	1
pringar	7
privar	1
privatizar	11
privilegiar	1
probar	36
proceder	2
procesar	1
proclamar	1
procrastinar	1
procrear	1
procurar	1
prodigar	7
producir	86
proejar	1
profanar	1
profazar	11
proferir	56
profesar	1
profesionalizar	11
profetizar	11
profundar	1
profundizar	11
programar	1
progresar	1
prohibir	**22**
prohijar	20
proletarizar	11
proliferar	1
prolijear	1
prologar	1
prolongar	7
promanar	1
promediar	1
prometer	2
promiscuar	1
promocionar	1
promover	43
promulgar	7
pronosticar	4
pronunciar	1
propagar	7
propalar	1
propasar	1
propender	2
propiciar	1
propinar	1
proponer	66
proporcionar	1
propugnar	1
propulsar	1
prorratear	1
prorrogar	7
prorrumpir	3
proscribir	3
proseguir	34
prosificar	4

Verbo	Nº
prospectar	1
prosperar	1
prosternarse	1
prostituir	70
protagonizar	11
proteger	**15**
protestar	1
protocolar	1
protocolizar	11
proveer	**30**
provenir	96
proverbiar	1
providenciar	1
provisionar	1
provocar	1
proyectar	1
psicoanalizar	11
puar	19
pubescer	61
publicar	4
publicitar	1
puchar	1
pudelar	1
pudrir	**31**
puentear	1
puerilizar	11
pugnar	1
pujar	1
pulimentar	1
pulir	3
pulsar	1
pulsear	1
pulular	1
pulverizar	11
punchar	1
puncionar	1
pungir	16
punir	3
puntar	1
puntear	1
puntisecar	4
puntualizar	11
puntuar	19
punzar	11
punzonar	1
purear	1
purgar	7
purificar	4
purpurar	1
putañear	1
putear	1

Q

Verbo	Nº
quebrajar	1
quebrantar	1
quebrar	49
quedar	1
quejar	1
quejumbrar	1
quemar	1
querellarse	1
querer	**93**
querochar	1
quesear	1
quietar	1
quilatar	1
quilificar	4
quillotrar	1
quimerizar	11
quimificar	4
quinchar	1
quinolear	1
quintaesenciar	1
quintar	1
quintuplicar	4
quistarse	1
quitar	1

R

Verbo	Nº
rabear	1
rabiar	1
rabiatar	1
rabosear	1
rabotear	1
racanear	1
rachear	1
racimar	1
raciocinar	1
racionalizar	11
racionar	1
radiar	1
radicalizar	11
radicar	4
radiobalizar	11
radiodifundir	3
radiodirigir	16
radiografiar	18
radiotelefonear	1
radiotelegrafiar	18
radiotransmitir	3
raer	**74**
rafear	1
rajar	1
ralear	1
ralentizar	11
rallar	1
ramalear	1
ramificar	4
ramonear	1
ranchear	1
ranciar	1
ranurar	1
rapar	1
rapiñar	1
raposear	1
raptar	1
raquear	1
rarear	1
rarefacer	**79**
rarificar	4
rasar	1
rascar	4
rascuñar	1

rasear	1
rasgar	7
rasguear	1
rasguñar	1
rasmillarse	1
raspahilar	1
raspar	1
raspear	1
rasquetear	1
rastillar	1
rastrallar	1
rastrear	1
rastrillar	1
rastrojar	1
rastrojear	1
rasurar	1
ratear	1
ratificar	4
ratigar	7
ratinar	1
ratonar	1
rayar	1
razonar	1
razziar	1
reabastecer	61
reabrir	26
reabsorber	2
reaccionar	1
reactivar	1
reacuñar	1
readaptar	1
readecuar	1
readmitir	3
readquirir	3
reafirmar	1
reagravar	1
reagrupar	1
reagudizar	11
reajustar	1
realegrarse	1
realizar	11
realojar	1
realquilar	1
realzar	11
reamar	1
reanimar	1
reanudar	1
reaparecer	61
reapretar	49
rearar	1
reargüir	71
rearmar	1
reasegurar	1
reasumir	3
reatar	1
reaventar	1
reavivar	1
rebabar	1
rebajar	1
rebalsar	1
rebanar	1
rebanear	1
rebañar	1
rebarbar	1
rebasar	1
rebatir	3
rebautizar	11
rebelarse	1
rebinar	1
rebitar	1
reblandecer	61
reblar	1
rebobinar	1
rebombar	1
rebordear	1
reborujar	1
rebosar	1
rebotar	1
rebozar	11
rebramar	1
rebrillar	1
rebrincar	4
rebrotar	1
rebudiar	1
rebufar	1
rebujar	1
rebullir	83
rebumbar	1
reburujar	1
rebuscar	4
rebutir	3
rebuznar	1
recabar	1
recaer	73
recalar	1
recalcar	4
recalcificar	4
recalcitrar	1
recalentar	49
recalificar	4
recalzar	11
recamar	1
recambiar	1
recapacitar	1
recapitular	1
recargar	7
recatar	1
recatear	1
recatonear	1
recauchar	1
recauchutar	1
recaudar	1
recavar	1
recebar	1
recechar	1
recejar	1
recelar	1
recentar	49
receñir	35
receptar	1
recercar	4
recesar	1
recetar	1
rechazar	11
rechiflar	1
rechinar	1

rechistar	1	recortar	1	redolar	1
recibir	3	recorvar	1	redondear	1
reciclar	1	recoser	2	redorar	1
recidivar	1	recostar	36	redrojar	1
recinchar	1	recovar	1	reducir	86
reciprocar	4	recrear	1	redundar	1
recitar	1	recrecer	61	reduplicar	4
reclamar	1	recriar	18	reedificar	4
reclinar	1	recriminar	1	reeditar	1
recluir	70	recristalizar	11	reeducar	4
reclutar	1	recrudecer	61	reelegir	33
recobrar	1	recrujir	3	reembarcar	4
recocer	45	rectar	1	reembolsar	1
recochinearse	1	rectificar	4	reemplazar	11
recodar	1	rectorar	1	reemprender	2
recoger	15	recuadrar	1	reencarnar	1
recolar	36	recubrir	3	reencauchar	1
recolectar	1	recudir	3	reencontrar	36
recolocar	4	recuestar	1	reencuadernar	1
recomendar	49	recular	1	reenganchar	1
recomenzar	50	recuñar	1	reengendrar	1
recomerse	2	recuperar	1	reensayar	1
recompensar	1	recurar	1	reenviar	18
recomponer	66	recurrir	3	reenvidar	1
reconcentrar	1	recusar	1	reequilibrar	1
reconciliar	1	redactar	1	reescribir	28
reconcomerse	2	redargüir	71	reestrenar	1
recondenar	1	redar	1	reestructurar	1
reconducir	86	redecir	87	reevaluar	19
reconfortar	1	redefinir	3	reexaminar	1
reconocer	61	redescontar	36	reexpedir	32
reconquistar	1	redescubrir	3	reexportar	1
reconsiderar	1	redhibir	3	refanfinflar	1
reconstituir	70	rediezmar	1	referir	56
reconstruir	70	redilar	1	refigurar	1
recontar	36	redilear	1	refilar	1
reconvalecer	61	redimir	3	refinar	1
reconvenir	96	rediseñar	1	refirmar	1
reconvertir	56	redistribuir	70	refitolear	1
recopilar	1	redituar	19	reflectar	1
recordar	36	redoblar	1	reflejar	1
recorrer	2	redoblegar	7	reflexionar	1

reflorecer	61
reflotar	1
refluir	70
refocilar	1
reforestar	1
reformar	1
reformatear	1
reforzar	41
refractar	1
refregar	51
refreír	81
refrenar	1
refrendar	1
refrescar	4
refrigerar	1
refringir	16
refucilar	1
refugiar	1
refulgir	16
refundar	1
refundir	3
refunfuñar	1
refutar	1
regacear	1
regalar	1
regalonear	1
regañar	1
regañir	82
regar	**51**
regatear	1
regatonear	1
regazar	11
regenerar	1
regentar	1
regentear	1
regimentar	1
regionalizar	11
regir	**33**
registrar	1
reglamentar	1
reglar	1
regletear	1
regocijar	1
regodearse	1
regoldar	36
regolfar	1
regostarse	1
regraciar	1
regresar	1
regruñir	82
reguilar	1
regularizar	11
regular	1
regurgitar	1
rehabilitar	1
rehacer	77
rehartar	1
rehelear	1
rehenchir	32
reherir	56
reherrar	49
rehervir	56
rehilar	20
rehogar	7
rehollar	36
rehoyar	1
rehuir	70
rehumedecer	61
rehundir	23
rehurtarse	1
rehusar	21
reilar	1
reimplantar	1
reimportar	1
reimprimir	29
reinar	1
reincidir	3
reincorporar	1
reingresar	1
reiniciar	1
reinsertar	1
reinstalar	1
reinstaurar	1
reintegrar	1
reinterpretar	1
reintroducir	86
reinventar	1
reinvertir	56
reír	**80**
reiterar	1
reivindicar	4
rejacar	4
rejitar	1
rejonear	1
rejuntar	1
rejuvenecer	61
relabrar	1
relacionar	1
relajar	1
relamer	2
relampaguear	1
relanzar	11
relatar	1
relativizar	11
relavar	1
relazar	11
releer	17
relegar	7
relejar	1
relentecer	61
relevar	1
relievar	1
religar	7
relimar	1
relimpiar	1
relinchar	1
relingar	7
rellanar	1
rellenar	1
reluchar	1
relucir	62
relumbrar	1
relvar	1
remachar	1
remallar	1
remanar	1

remandar	1
remanecer	61
remangar	7
remansarse	1
remarcar	4
remar	1
rematar	1
rembolsar	1
remecer	13
remedar	1
remediar	1
remedir	32
remejer	2
remellar	1
remembrar	1
rememorar	1
remendar	49
remenearse	1
remesar	1
remeter	2
remilgarse	7
remilitarizar	11
remirar	1
remitir	3
remodelar	1
remojar	1
remolcar	4
remoler	43
remolinar	1
remolinear	1
remolonear	1
remondar	1
remontar	1
remorder	43
remosquearse	1
remostar	1
remostecer	61
remover	43
remozar	11
remplazar	11
rempujar	1
remudar	1
remugar	7
remullir	83
remunerar	1
remusgar	7
renacer	61
rencontrar	1
rendar	1
rendir	32
renegar	51
renegociar	1
renegrear	1
rengar	7
renguear	1
renovar	36
renquear	1
rentabilizar	11
rentar	1
renunciar	1
renvalsar	1
reñir	35
reobrar	1
reordenar	1
reorganizar	11
reorientar	1
repacer	61
repagar	7
repampinflar	1
repanchigarse	7
repanchingarse	7
repantigarse	7
repantingarse	7
repapilarse	1
reparar	1
repartir	3
repasar	1
repastar	1
repatear	1
repatriar	18
repechar	1
repeinar	1
repelar	1
repeler	2
repellar	1
repensar	49
repentizar	11
repercudir	3
repercutir	3
repesar	1
repescar	4
repetir	32
repicar	4
repicotear	1
repinarse	1
repintar	1
repiquetear	1
repisar	1
repizcar	4
replantar	1
replantear	1
replegar	51
repletar	1
replicar	4
repoblar	36
repodar	1
repodrir	31
repollar	1
reponer	66
reportar	1
reposar	1
reposicionar	1
repostar	1
repoyar	1
repreguntar	1
reprehender	2
reprender	2
represar	1
representar	1
reprimir	3
reprivatizar	11
reprobar	36
reprochar	1
reproducir	86
repropiarse	1
reptar	1

repuchar	1	residenciar	1	resumir	3
repudiar	1	residir	3	resurgir	16
repudrir	31	resignar	1	resurtir	3
repugnar	1	resinar	1	retacar	4
repujar	1	resinificar	4	retacear	1
repulgar	7	resistir	3	retajar	1
repulir	3	resobar	1	retallar	1
repulsar	1	resobrar	1	retallecer	61
repuntar	1	resollar	36	retardar	1
repurgar	7	resolver	46	retar	1
reputar	1	resonar	36	retasar	1
requebrar	49	resoplar	1	retazar	11
requemar	1	resorber	2	retejar	1
requerir	56	respahilar	20	retejer	2
requintar	1	respaldar	1	retemblar	49
requisar	1	respectar	1	retener	95
resaber	94	respeluzar	11	retentar	49
resabiar	1	respetar	1	reteñir	35
resacar	4	respigar	7	retesar	1
resalar	1	respingar	7	retinar	1
resalir	65	respirar	1	retiñir	82
resallar	1	resplandecer	61	retirar	1
resaltar	1	responder	2	retobar	1
resaludar	1	responsabilizar	11	retocar	4
resanar	1	responsar	1	retomar	1
resarcir	14	responsear	1	retoñar	1
resbalar	1	resquebrajar	49	retorcer	45
rescaldar	1	resquebrar	1	retoricar	4
rescatar	1	resquemar	1	retornar	1
rescindir	3	restablecer	61	retortijar	1
rescoldar	1	restallar	1	retostar	36
rescontrar	36	restañar	1	retozar	11
resecar	4	restar	1	retractar	1
resegar	51	restaurar	1	retraducir	86
reseguir	34	restituir	70	retraer	72
resellar	1	restregar	51	retrancar	4
resembrar	49	restribar	1	retranquear	1
resentirse	56	restringir	16	retransmitir	3
reseñar	1	restriñir	82	retrasar	1
reservar	1	resucitar	1	retratar	1
resfriar	18	resudar	1	retrechar	1
resguardar	1	resultar	1	retreparse	1

Verbo	Modelo
retribuir	70
retrillar	1
retroceder	2
retrogradar	1
retronar	36
retrotraer	72
retrovender	2
retrucar	4
retumbar	1
retundir	3
reubicar	4
reunificar	4
reunir	**23**
reuntar	1
reutilizar	11
revacunar	1
revalidar	1
revalorizar	11
revaluar	19
revejecer	61
revelar	1
reveler	2
revenar	1
revender	2
revenir	96
reventar	49
reverberar	1
reverdecer	61
reverenciar	1
reverter	53
revertir	56
rever	60
revesar	1
revestir	32
revezar	11
revidar	1
revigorizar	11
revindicar	4
revirar	1
revisar	1
revistar	1
revitalizar	11
revivificar	4
revivir	3
revocar	4
revolar	36
revolcar	42
revolear	1
revolotear	1
revolucionar	1
revolver	43
revotarse	1
rezagar	7
rezar	11
rezongar	7
rezumar	1
rezurcir	14
ribetear	1
ridiculizar	11
rielar	1
rifar	1
rilar	1
rimar	1
rimbombar	1
ringar	7
ringletear	1
riostrar	1
ripiar	1
riscar	4
risotear	1
ritmar	1
ritualizar	11
rivalizar	11
rizar	11
robar	1
roblar	1
roblonar	1
roborar	1
robotizar	11
robustecer	61
rochar	1
rociar	18
rodar	36
rodear	1
rodrigar	7
roer	**69**
rogar	40
rojear	1
rolar	1
roldar	1
rollar	1
romanar	1
romancear	1
romanear	1
romanizar	11
romanzar	11
romper	**27**
roncar	4
roncear	1
ronchar	1
rondar	1
ronquear	1
ronronear	1
ronzar	11
rosarse	1
roscar	4
rosear	1
rostir	3
rotar	1
rotular	1
roturar	1
rozar	11
roznar	1
ruar	19
rubificar	4
ruborizar	11
rubricar	4
rufianear	1
rugar	7
rugir	16
rular	1
ruletear	1
rumbear	1
rumiar	1
rumorear	1
runrunear	1

ruñar	1
rusentar	1
rusificar	4
rusticar	4
rutilar	1

S

sabanear	1
sabatizar	11
saber	**94**
sablear	1
saborear	1
sabotear	1
sacarificar	4
sacar	**4**
sachar	1
saciar	1
sacralizar	11
sacramentar	1
sacrificar	4
sacudir	3
saetar	1
saetear	1
sahornarse	1
sahumar	21
sainar	20
sainetear	1
sajar	1
sajelar	1
salabardear	1
salariar	1
salar	1
salcochar	1
saldar	1
salearse	1
salegar	7
salgar	7
salificar	4
salir	**65**
salivar	1
sallar	1
salmear	1
salmodiar	1
salmuerarse	1
salomar	1
salpicar	4
salpimentar	49
salpresar	1
salpullir	83
saltar	1
saltear	1
saludar	1
salvaguardar	1
salvar	1
sambenitar	1
sanar	1
sancionar	1
sancochar	1
sanear	1
sangrar	1
sangrentar	49
sanguificar	4
santificar	4
santiguar	9
saponificar	4
saquear	1
sargentear	1
sarmentar	49
sarpullir	83
satelizar	11
satinar	1
satirizar	11
satisfacer	**78**
saturar	1
sazonar	1
secar	4
seccionar	1
secretar	1
secretear	1
secuenciar	1
secuestrar	1
secularizar	11
secundar	1
sedar	1
sedear	1
sedentarizar	11
sedimentar	1
seducir	86
segar	51
segmentar	1
segregar	7
seguetear	1
seguir	**34**
segundar	1
seisavar	1
seleccionar	1
sellar	1
semblantear	1
sembrar	49
semejar	1
sementar	49
senderar	1
senderear	1
sensibilizar	11
sentar	49
sentenciar	1
sentir	**56**
señalar	1
señalizar	11
señolear	1
señorear	1
separar	1
septuplicar	4
sepultar	1
serenar	1
seriar	1
sermonear	1
serpear	1
serpentear	1
serpollar	1
serrar	49
serruchar	1
serviciar	1
servir	32

ser	**98**
sesear	1
sesgar	7
sesionar	1
sestear	1
setenar	1
sextavar	1
sextuplicar	4
sexualizar	11
sicoanalizar	11
sigilar	1
signar	1
significar	4
silabar	1
silabear	1
silbar	1
silenciar	1
silgar	7
silogizar	11
siluetar	1
siluetear	1
simbolizar	11
simpatizar	11
simplificar	4
simular	1
simultanear	1
sinalefar	1
sincerar	1
sincopar	1
sincopizar	11
sincronizar	11
sindicalizar	11
sindicar	4
singar	7
singlar	1
singularizar	11
sinterizar	11
sintetizar	11
sintonizar	11
sirgar	7
sisar	1
sisear	1
sistematizar	11
sitiar	1
situar	19
soasar	1
sobajar	1
sobajear	1
sobarcar	4
sobar	1
soberanear	1
soberbiar	1
sobornar	1
sobradar	1
sobrar	1
sobrasar	1
sobreabundar	1
sobreactuar	19
sobreaguar	9
sobrealimentar	1
sobrealzar	11
sobreañadir	3
sobrearar	1
sobreasar	1
sobrebarrer	2
sobrebeber	2
sobrecalentar	49
sobrecargar	7
sobrecartar	1
sobrecenar	1
sobrecoger	15
sobrecongelar	1
sobrecrecer	61
sobrecurar	1
sobredimensionar	1
sobredorar	1
sobreedificar	4
sobreentender	53
sobreestimar	1
sobreexceder	2
sobreexcitar	1
sobreexponer	66
sobreganar	1
sobregirar	1
sobrehilar	20
sobrellavar	1
sobrellenar	1
sobrellevar	1
sobremoldear	1
sobrenadar	1
sobrenaturalizar	11
sobrentender	53
sobrepasar	1
sobrepintarse	1
sobreponer	53
sobreproteger	15
sobrepujar	1
sobresalir	65
sobresaltar	1
sobresanar	1
sobresaturar	1
sobrescribir	3
sobreseer	17
sobresellar	1
sobresembrar	49
sobresolar	36
sobrestimar	1
sobretasar	1
sobrevenir	96
sobreverterse	53
sobrevestir	32
sobrevirar	1
sobrevivir	3
sobrevolar	36
sobrexceder	2
sobrexcitar	1
sobrexponer	66
socaliñar	1
socalzar	11
socapar	1
socarrar	1
socar	4
socavar	1
socializar	11
socolar	36
socorrer	2

sodomizar	11	sonetear	1	suavizar	11
sofaldar	1	sonetizar	11	subalternar	1
sofisticar	4	sonochar	1	subarrendar	49
soflamar	1	sonorizar	11	subastar	1
sofocar	4	sonreír	80	subcontratar	1
sofreír	81	sonrodarse	36	subdelegar	7
sofrenar	1	sonrojar	1	subdistinguir	10
soguear	1	sonrojear	1	subdividir	3
sojuzgar	7	sonrosar	1	subemplear	1
solapar	1	sonrosear	1	subentender	53
solar	36	sonsacar	4	suberificarse	4
solazar	11	sonsear	1	subestimar	1
soldar	36	soñar	36	subexponer	66
solear	1	sopalancar	4	subintrar	1
solemnizar	11	sopapear	1	subir	3
soler	43	sopar	1	sublevar	1
solevar	1	sopear	1	sublimar	1
solfear	1	sopesar	1	subministrar	1
solicitar	1	sopetear	1	subordinar	1
solidarizar	11	soplar	1	subrayar	1
solidar	1	soplonear	1	subrogar	7
solidificar	4	soportar	1	subsanar	1
soliloquiar	1	sopuntar	1	subscribir	28
soliviantar	1	sorber	2	subseguir	34
soliviar	1	sornar	1	subsidiar	1
sollamar	1	sorprender	2	subsistir	3
sollozar	11	sorrabar	1	subsolar	36
soltar	36	sorregar	51	substanciar	1
solucionar	1	sortear	1	substantivar	1
solvatar	1	sosañar	1	substituir	70
solventar	1	sosegar	51	substraer	72
somatizar	11	soslayar	1	subsumir	3
sombrar	1	sospechar	1	subtender	53
sombrear	1	sospesar	1	subtitular	1
someter	2	sostener	95	subvalorar	1
somorgujar	1	sotanear	1	subvencionar	1
somormujar	1	sotaventarse	1	subvenir	96
sompesar	1	sotaventearse	1	subvertir	56
sonajear	1	soterrar	49	subvirar	1
sonar	36	sovietizar	11	subyacer	63
sondar	1	sprintar	1	subyugar	7
sondear	1	standarizar	11	succionar	1

suceder	2
sucintarse	1
sucumbir	3
sudar	1
sufocar	4
sufragar	7
sufrir	3
sugerir	56
sugestionar	1
suicidarse	1
sujetar	1
sulfatar	1
sulfurar	1
sumariar	1
sumar	1
sumergir	16
suministrar	1
sumir	3
supeditar	1
superabundar	1
superar	1
superentender	53
superponer	66
supervalorar	1
supervenir	96
supervisar	1
supervivir	3
suplantar	1
suplicar	4
suplir	3
suponer	66
suportar	1
suprimir	3
supurar	1
surcar	4
surdir	3
surgir	16
surtir	3
suscitar	1
suscribir	28
suspender	2
suspirar	1
sustanciar	1
sustantivar	1
sustentar	1
sustituir	70
sustraer	72
susurrar	1
sutilizar	11
suturar	1

T

tabalear	1
tabellar	1
tabicar	4
tablar	1
tablear	1
tabletear	1
tabular	1
tacañear	1
tacar	4
tachar	1
tachonar	1
tachonear	1
taconear	1
tafiletear	1
tagarotear	1
taimarse	1
tajar	1
taladrar	1
talar	1
talionar	1
tallar	1
tallecer	61
talonear	1
tamarear	1
tambalear	1
tamborear	1
tamborilear	1
tamboritear	1
tamizar	11
tandear	1
tangalear	1
tangar	7
tanguear	1
tantear	1
tañar	1
tañer	**84**
tapar	1
tapear	1
taperujarse	1
tapialar	1
tapiar	1
tapirujarse	1
tapizar	11
taponar	1
tapujarse	1
taquear	1
taquigrafiar	18
taracear	1
tararear	1
tarar	1
tarascar	4
tarazar	11
tardar	1
tardear	1
tardecer	61
tarifar	1
tarjar	1
tarjetearse	1
tartajear	1
tartalear	1
tartamudear	1
tartarizar	11
tasar	1
tascar	4
tasquear	1
tatarear	1
tatemar	1
tatuar	19
tazar	11
teatralizar	11
techar	1
teclear	1

tecnificar	4
tejar	1
tejer	2
teledirigir	16
telefonear	1
telegrafiar	18
telematizar	11
televisar	1
temblar	49
temblequear	1
tembliquear	1
temer	**2**
tempanar	1
temperar	1
tempestear	1
templar	1
temporizar	11
tempranear	1
tenacear	1
tender	**53**
tener	**95**
tensar	1
tentar	49
teñir	35
teologizar	11
teorizar	11
tequiar	1
terciarizar	11
terciar	1
terebequear	1
tergiversar	1
terminar	1
termocauterizar	11
terquear	1
terraplenar	1
terrear	1
tersar	1
tertuliar	1
tesar	1
testar	1
testear	1
testificar	4
testimoniar	1
tetanizar	11
tetar	1
texturizar	11
tijeretear	1
tildar	1
tillar	1
timar	1
timbrar	1
timonear	1
timpanizarse	11
tincar	4
tindalizar	11
tintar	1
tintinar	1
tintinear	1
tipear	1
tipificar	4
tiramollar	1
tiranizar	11
tirar	1
tiritar	1
tironear	1
tirotear	1
titear	1
titilar	1
titiritar	1
titubar	1
titubear	1
titularizar	11
titular	1
tiznar	1
tizonear	1
toar	1
tocar	4
toldar	1
tolerar	1
tolonguear	1
tomar	1
tonar	1
tonificar	4
tonsurar	1
tontear	1
topar	1
topetar	1
topetear	1
toquetear	1
torcer	**45**
torear	1
tornar	1
tornasolar	1
tornear	1
torpedear	1
torrar	1
torrear	1
torrefactar	1
torturar	1
toser	2
tosigar	7
tostar	36
totalizar	11
toxicar	4
trabajar	1
trabar	1
trabucar	4
tractorar	1
tractorear	1
traducir	86
traer	**72**
trafagar	7
traficar	4
trafulcar	4
tragar	7
tragonear	1
traicionar	1
traillar	20
trajear	1
trajinar	1
tramar	1
tramitar	1
tramontar	1
trampear	1
trancar	4
tranquear	1

tranquilar 1
tranquilizar 11
transar 1
transbordar 1
transcender 53
transcribir 28
transcurrir 3
transferir 56
transfigurar 1
transflorar 1
transflorear 1
transformar 1
transfundir 3
transgredir 3
transigir 16
transitar 1
translimitar 1
translinear 1
transliterar 1
translucir 62
transmigrar 1
transmitir 3
transmontar 1
transmudar 1
transmutar 1
transparentar 1
transpirar 1
transponer 66
transportar 1
transterminar 1
transubstanciar 1
transustanciar 1
transvasar 1
transverberar 1
tranzar 11
trapacear 1
trapalear 1
trapazar 11
trapear 1
trapichar 1
trapichear 1
trapisondear 1
traquear 1
traquetear 1
trasbocar 4
trasbordar 1
trascartarse 1
trascender 53
trascolar 36
trasconejarse 1
trascordarse 36
trascribir 28
trascurrir 3
trasdoblar 1
trasdosar 1
trasdosear 1
trasegar 51
traseñalar 1
trasferir 56
trasfigurar 1
trasflorar 1
trasflorear 1
trasformar 1
trasfundir 3
trasgredir 3
trashumar 1
trasladar 1
traslapar 1
traslinear 1
trasliterar 1
traslucir 62
traslumbrar 1
trasmatar 1
trasmigrar 1
trasminar 1
trasmitir 3
trasmochar 1
trasmontar 1
trasmudar 1
trasmutar 1
trasnochar 1
trasnombrar 1
trasoír 68
trasoñar 36
traspalar 1
traspapelar 1
trasparecer 61
trasparentar 1
traspasar 1
traspeinar 1
traspellar 1
traspillar 1
traspintar 1
traspirar 1
trasplantar 1
trasponer 66
trasportar 1
trasquilar 1
trasroscarse 4
trastabillar 1
trastear 1
trastejar 1
trasterminar 1
trastesar 1
trastocar 4
trastornar 1
trastrabarse 1
trastrabillar 1
trastrocar 42
trastumbar 1
trasudar 1
trasuntar 1
trasvasar 1
trasvenarse 1
trasverberar 1
trasverter 53
trasver 60
trasvinar 1
trasvolar 36
tratar 1
traumar 1
traumatizar 11
travesar 49
travesear 1
travestir 32
trazar 11

U

V

vahear	1
vajear	1
valer	**64**
validar	1
valladear	1
vallar	1
valorar	1
valorear	1
valorizar	11
valsar	1
valuar	19
vampirizar	11
vanagloriarse	1
vanear	1
vaporar	1
vaporear	1
vaporizar	11
vapular	1
vapulear	1
vaquear	1
varar	1
varear	1
varetear	1
variar	18
varraquear	1
vaticinar	1
vedar	1
vegetar	1
vehicular	1
vejar	1
velarizar	11
velar	1
velejar	1
velicar	4
venadear	1
vencer	13
vendar	1
vender	2
vendimiar	1
venerar	1
vengar	7
venir	**96**
ventajear	1
ventanear	1
ventar	49
ventear	1
ventilar	1
ventiscar	4
ventisquear	1
ventosear	1
veranar	1
veranear	1
verbalizar	11
verbenear	1
verberar	1
verdear	1
verdecer	61
verdeguear	1
verguear	1
verificar	4
verilear	1
verraquear	1
verruguetar	1
versar	1
versear	1
versificar	4
vertebrar	1
verter	53
ver	**59**
vestir	32
vetar	1
vetear	1
vezar	11
viabilizar	11
viajar	1
viaticar	4
viborear	1
vibrar	1
vichar	1
vichear	1
viciar	1
victorear	1
vidriar	1
vigiar	18
vigilar	1
vigorar	1
vigorizar	11
vilificar	1
vilipendiar	1
viltrotear	1
vincular	1
vindicar	4
violar	1
violentar	1
virar	1
virilizarse	11
visar	1
visibilizar	11
visionar	1
visitar	1
vislumbrar	1
visualizar	11
vitalizar	11
vitar	1
vitorear	1
vitrificar	4
vitriolizar	11
vituallar	1
vituperar	1
vivaquear	1
vivar	1
vivificar	4
vivir	3
vocalizar	11
vocear	1
vociferar	1
volar	36
volatilizar	11
volatizar	11
volcar	42
volear	1
volitar	1
volquearse	1
voltear	1
voltejear	1
volver	**46**